KB081921

# 강력한 동국대 인문계 논술

# 기출문제

# 저자 소개

저자 김근현은 현재 탁트인 교육, 일으킨 바람, 에듀코어 대표이다.

前 메가스터디 온라인에서 대입 논술과 면접, 자기소개서, 학생부종합 등 다양한 동영상 강의를 하였다.

현재는 학습 프로그램 개발 및 연구 활동을 통해 교육의 발전을 고민하고 있다.

홍익대학교에서 전자전기공학부를 졸업하고 동대학원에서 전자공학 석사(반도체 레이저)를 전공하였다. 또한 연세대학교 교육경영최고위자 과정을 마쳤으며 연세대학교 교육대학원에서 평생교육 경영을 공부하고 있다.

강력한 동국대 인문계 논술 기출 문제

**발  행** 2024년 03월 19일
**저  자** 김근현
**펴낸이** 김근현
**펴낸곳** 일으킨 바람
**출판사등록** 2018.11.12.(제2018-000186호)
**주  소** 경기도 고양시 일산서구 하이파크 3로 61 409동 1503호
**전  화** 031-713-7925
**이메일** illeukinbaram@gmail.com

ISBN | 979-11-93208-20-5

www.iluekinbaram.com
ⓒ 김 근 현 2024
본 책은 저작자의 지적 재산으로서 무단 전재와 복제를 금합니다.

강력한

동국대 인문계

논술 기출문제

김근현 지음

# < 차 례 >

아름다운 학창 시절!
너무 귀하고 소중한 시간을
미래를 위해
하루하루 부단히 노력하는
수험생에게 드립니다.

# 머리말

 책을 쓰기 위해 책상에 앉으면 아쉬움과 안타까움, 나의 게으름에 늘 한숨을 먼저 쉰다.
왜 지금 쓸까?
왜 지금에서야 이 내용을 쓸까?
왜 지금까지 뭐했니?
스스로 자책을 한다.

또 애절함도 함께 느낀다.
시험이 코앞에서야 급한 마음에 달려오는
수험생들에게 왜 미리 제대로 준비된 걸 챙겨주지 못했을까?
그렇게 하루, 한 달, 일 년 그렇게 몇 해가 지나 이제야 조금 마음의 짐을 내려놓는다.

입에 단내 가득하도록 학생들에게 강의를 했고,
코앞에 다가온 연속된 수험생의 긴장감을 함께하다보면
그렇게 바쁘게 초조하게 지냈던 것 같다.

그렇게 함께했던 시간을 알기에
부족하겠지만
부디 이 책으로 수험생들이 부족한 일부를 채울 수 있고,
한 걸음이라도 희망하는 꿈을 향해 다갈 수 있길 간절히 바래 본다.

김 근 현

# Ⅰ. 동국 대학교 논술 전형 분석

## 1. 논술 전형 특징

### 1) 전형 요소별 반영 비율 (실질반영비율)

| 구분 | 논술 | 학생부 | | 총 비율 |
|---|---|---|---|---|
| | | 교과 성적 | 출결 | |
| 일괄합산 | 70% | 20% | 10% | 100% |
| | 최서 350점　최고 700점 | 최저 100점<br>최고 200점 | 처저 50전<br>최고 100점 | 최저 500점　최고 1000점 |

### 2) 수능 최저학력 기준

| 구분 | | 등급 기준 | 비고 |
|---|---|---|---|
| 인문계열 | | ● 국어/영어/수학/탐구(사회 또는 과학) 2개 영역 등급 합 5 [한국사 4등급 이내] | |
| 경찰행정학부 | | ● 국어/영어/수학/탐구(사회 또는 과학) 2개 영역 등급 합 4 [한국사 4등급 이내] | 인문/자연 공통 |
| 자연계열 | | ● 국어/영어/수학/과학탐구 2개 영역 등급 합 5 [한국사 4등급 이내] | 수학 또는 과학 1개 이상 포함 |
| AI소프트웨어 융합부 | 인문 | ● 국어/영어/수학/탐구(사회 또는 과학) 2개 영역 등급 합 5 [한국사 4등급 이내] | 등급합 산정시 수학 포함 |
| | 자연 | ● 국어/영어/수학/과학탐구 2개 영역 등급 합 4 [한국사 4등급 이내] | |
| 약학과 | | ● 국어/영어/수학/과학탐구 3개 영역 등급 합 4 [한국사 4등급 이내] | 수학 또는 과학 1개 이상 포함 |

1) 국어 및 수학영역 선택과목 지정 없음
2) 사회 및 과학 탐구영역은 2과목 중 상위 1과목 반영하며, 제 2외국어/한문 대체 없음

### 3) 교과성적 산출방법

| 구분 | 내용 |
|---|---|
| 반영기간 | 졸업(예정)자 : 1학년 1학기 ～ 3학년 1학기 (5개 학기), 졸업자는 전 학년 |
| 반영교과 | 국어, 영어, 수학, 사회, 과학, 한국사 |
| 반영방법 | 교과 성적 반영시 교과별 학년별 반영비율 및 각 과목별 이수 단위 적용하지 않음 |

● 산출 방법 : [∑ (등급점수÷반영과목 수) ÷ 최대등급점수(10점)] × 반영총점 )

## 4) 교과성적 평가기준표

| 등급 | 1등급 | 2등급 | 3등급 | 4등급 | 5등급 | 6등급 | 7등급 | 8등급 | 9등급 |
|---|---|---|---|---|---|---|---|---|---|
| 점수 | 10점 | 9.97점 | 9.93점 | 9.9점 | 9.8점 | 8.7점 | 7.0점 | 6.0점 | 5.0점 |
| 1 등급간 차이 | | -0.03 | -0.07 | -0.1 | -0.2 | -1.3 | -3.0 | -4.0 | -5.0 |

## 5) 출결

| 결석 일수 | 3일 이하 | 4~6일 | 7~9일 | 10~ 12일 | 13~ 15일 | 16~ 18일 | 19~ 21일 | 22~ 24일 | 25일 이상 |
|---|---|---|---|---|---|---|---|---|---|
| 점수 | 10점 | 9.4점 | 8.8점 | 8.2점 | 7.6점 | 7점 | 6.4점 | 5.8점 | 5점 |

-무단(사고)/미인 결과 지각 조퇴는 3회당 결석 1일로 반영(수수점 이하는 절사)
-질병으로 인한 경우에는 반영하지 않음

## 6) 교과 평가

※ 내신의 반영비율이 낮으며, 출결이 있으나 질병에 의한 병결은 제외되어 큰 의미가 없다.
1. 교과 내신의 반영은 5등급까지는 거의 소숫점 단위로 변별력이 없다.
2. 결국 수능 최저를 통과한 학생들의 논술실력으로 당락이 좌우

# 2. 논술 전형 분석

## 1) 논술 전형 결과

### (1) 2024학년도 논술 전형 결과

▶ 경쟁률, 실질경쟁률, 충원률 ◀

실질경쟁률 : 논술고사 응시자 중 수능최저학력기준을 충족한 지원자의 경쟁률
충원률 : 모집인원 중 수시최초합격 이후 추가로 합격한 비율

| 대학 | 모집단위 | 24학년도 모집인원 | 2024학년도 전형결과 | | | |
|---|---|---|---|---|---|---|
| | | | 지원인원 | 경쟁률 | 실경쟁률 | 충원률 |
| 문과 | 국어국문·문예창작학부 | 6 | 412 | 68.67 | 23.67 | 17% |
| | 영어영문학부 | 10 | 695 | 69.50 | 26.90 | 20% |
| | 일본학과 | 5 | 315 | 63.00 | 20.60 | 60% |
| | 중어중문학과 | 5 | 315 | 63.00 | 21.80 | 60% |
| | 철학과 | 5 | 318 | 63.60 | 22.60 | 20% |
| | 사학과 | 4 | 257 | 64.25 | 21.75 | 25% |
| 법과 | 법학과 | 15 | 1125 | 75.00 | 25.67 | 13% |
| 사회과학 | 정치외교학전공 | 6 | 396 | 66.00 | 22.50 | 33% |
| | 행정학전공 | 6 | 374 | 62.33 | 18.17 | 17% |
| | 국제통상학과 | 12 | 806 | 67.17 | 23.00 | 17% |
| | 미디어커뮤니케이션학전공 | 5 | 386 | 77.20 | 24.60 | 20% |
| | 광고홍보학과 | 6 | 458 | 76.33 | 20.83 | 0% |
| 경찰사법 | 경찰행정학부(인문) | 15 | 802 | 53.47 | 12.73 | 40% |
| 경영 | 경영학과 | 18 | 1329 | 73.83 | 23.11 | 22% |
| | 회계학과 | 13 | 773 | 59.46 | 17.85 | 0% |
| | 경영정보학과 | 10 | 625 | 62.50 | 17.70 | 20% |
| AI융합 | AI소프트웨어융합학부(인문) | 4 | 287 | 71.75 | 19.00 | 0% |
| 사범 | 교육학과 | 5 | 314 | 62.80 | 23.80 | 20% |
| 인문 전체 | | | 9987 | 66.58 | 21.25 | - |

## ▶ 교과 내신 성적 ◀

| 대학 | 모집단위 | 24학년도 모집인원 | 주요 교과 내신 등급 평균 | | | 상위 10과목 내신 등급 평균 | | |
|---|---|---|---|---|---|---|---|---|
| | | | 평균 | 최저 | 표준편차 | 평균 | 최저 | 표준편차 |
| 문과 | 국어국문·문예창작학부 | 6 | 4.25 | 5.4 | 0.72 | 2.90 | 4.3 | 0.88 |
| | 영어영문학부 | 10 | 4.20 | 5.6 | 0.97 | 3.09 | 4.3 | 0.81 |
| | 일본학과 | 5 | 4.18 | 5.3 | 0.70 | 2.85 | 3.8 | 0.64 |
| | 중어중문학과 | 5 | 4.84 | 6.1 | 0.95 | 3.60 | 4.4 | 0.66 |
| | 철학과 | 5 | 4.10 | 5.3 | 0.89 | 2.88 | 4.6 | 1.16 |
| | 사학과 | 4 | 4.47 | 5.4 | 0.93 | 3.07 | 4.3 | 0.95 |
| 법과 | 법학과 | 15 | 4.33 | 6.7 | 1.20 | 3.24 | 5.5 | 1.09 |
| 사회과학 | 정치외교학전공 | 6 | 3.53 | 4.4 | 0.82 | 2.47 | 3.5 | 0.85 |
| | 행정학전공 | 6 | 4.20 | 5.1 | 0.66 | 3.03 | 3.9 | 0.68 |
| | 국제통상학과 | 12 | 3.78 | 5.0 | 0.81 | 2.67 | 3.8 | 0.82 |
| | 미디어커뮤니케이션학전공 | 5 | 3.38 | 4.0 | 0.57 | 2.18 | 3.2 | 0.71 |
| | 광고홍보학과 | 6 | 4.50 | 6.0 | 1.19 | 3.35 | 4.9 | 1.25 |
| 경찰사법 | 경찰행정학부(인문) | 15 | 4.12 | 5.7 | 0.98 | 2.96 | 4.7 | 0.97 |
| 경영 | 경영학과 | 18 | 4.21 | 5.6 | 0.87 | 3.06 | 4.5 | 0.83 |
| | 회계학과 | 13 | 4.62 | 6.3 | 0.95 | 3.48 | 4.8 | 0.83 |
| | 경영정보학과 | 10 | 4.26 | 5.6 | 0.89 | 3.12 | 4.4 | 0.85 |
| AI융합 | AI소프트웨어융합학부(인문) | 4 | 3.93 | 4.1 | 0.17 | 2.70 | 3.0 | 0.22 |
| 사범 | 교육학과 | 5 | 3.62 | 4.4 | 0.39 | 2.50 | 3.1 | 0.31 |
| 인문 전체 | | | 4.17 | 6.7 | 0.96 | 3.01 | 5.5 | 0.93 |

| 대학 | 모집단위 | 24학년도 모집인원 | 논술 유형 | 지원자 논술고사 | | | 점수 최종등록자 | | |
|---|---|---|---|---|---|---|---|---|---|
| | | | | 평균 | 최저 | 표준편차 | 평균 | 최저 | 표준편차 |
| 문과 | 국어국문·문예창작학부 | 6 | 인문II | 81.92 | 50.75 | 4.16 | 89.11 | 88.21 | 0.82 |
| | 영어영문학부 | 10 | 인문II | 82.54 | 60.36 | 4.07 | 89.50 | 88.13 | 0.80 |
| | 일본학과 | 5 | 인문II | 83.17 | 71.01 | 3.52 | 89.64 | 88.75 | 0.77 |
| | 중어중문학과 | 5 | 인문II | 82.52 | 54.17 | 4.84 | 89.39 | 88.55 | 0.79 |
| | 철학과 | 5 | 인문II | 82.27 | 62.51 | 4.52 | 90.07 | 88.84 | 1.41 |
| | 사학과 | 4 | 인문II | 81.81 | 51.84 | 4.63 | 89.51 | 88.33 | 1.42 |
| 법과 | 법학과 | 15 | 인문II | 82.48 | 50.69 | 4.47 | 90.92 | 89.36 | 0.99 |
| 사회과학 | 정치외교학전공 | 6 | 인문I | 79.91 | 50.41 | 4.78 | 86.69 | 85.74 | 0.92 |
| | 행정학전공 | 6 | 인문I | 80.08 | 50.41 | 4.65 | 85.35 | 84.19 | 0.95 |
| | 국제통상학과 | 12 | 인문I | 80.84 | 50.00 | 4.43 | 87.86 | 85.86 | 1.83 |
| | 미디어커뮤니케이션학전공 | 5 | 인문I | 80.26 | 52.02 | 5.04 | 87.81 | 87.12 | 0.76 |
| | 광고홍보학과 | 6 | 인문I | 80.59 | 63.18 | 3.97 | 88.43 | 87.74 | 0.72 |
| 경찰사법 | 경찰행정학부(인문) | 15 | 인문II | 82.48 | 67.05 | 3.96 | 88.72 | 87.23 | 1.10 |
| 경영 | 경영학과 | 18 | 인문I | 80.43 | 50.00 | 4.86 | 87.70 | 86.34 | 1.25 |
| | 회계학과 | 13 | 인문I | 79.86 | 51.24 | 4.53 | 86.26 | 84.66 | 1.37 |
| | 경영정보학과 | 10 | 인문I | 81.14 | 59.77 | 4.22 | 87.19 | 86.83 | 0.27 |
| AI융합 | AI소프트웨어융합학부(인문) | 4 | 인문II | 80.65 | 52.17 | 5.20 | 85.93 | 85.64 | 0.32 |
| 사범 | 교육학과 | 5 | 인문II | 83.33 | 52.17 | 4.58 | 89.14 | 88.53 | 0.53 |
| 인문 전체 | | | | 81.41 | 50.00 | 4.60 | 88.30 | 84.19 | 1.84 |

(2) 2023학년도 논술 전형 결과

▶ 경쟁률, 실질경쟁률, 충원률 ◀

실질경쟁률 : 논술고사 응시자 중 수능최저학력기준을 충족한 지원자의 경쟁률

충원률 : 모집인원 중 수시최초합격 이후 추가로 합격한 비율

| 대학 | 모집단위 | 23학년도 모집인원 | 2023학년도 전형결과 | | | |
|---|---|---|---|---|---|---|
| | | | 지원인원 | 경쟁률 | 실경쟁률 | 충원률 |
| 문과 | 국어국문·문예창작학부 | 6 | 357 | 59.50 | 14.17 | 67% |
| | 영어영문학부 | 10 | 627 | 62.70 | 20.80 | 40% |
| | 일본학과 | 5 | 312 | 62.40 | 17.20 | 20% |
| | 중어중문학과 | 5 | 317 | 63.40 | 15.20 | 40% |
| | 철학과 | 5 | 281 | 56.20 | 12.40 | 20% |
| | 사학과 | 4 | 230 | 57.50 | 13.75 | 0% |
| 법과 | 법학과 | 15 | 1054 | 70.27 | 17.87 | 27% |
| 사회과학 | 정치외교학전공 | 6 | 336 | 56.00 | 11.67 | 50% |
| | 행정학전공 | 6 | 330 | 55.00 | 11.50 | 67% |
| | 경제학과 | 5 | 263 | 52.60 | 11.80 | 80% |
| | 국제통상학과 | 12 | 696 | 58.00 | 12.83 | 50% |
| | 미디어커뮤니케이션학전공 | 5 | 320 | 64.00 | 12.40 | 0% |
| | 광고홍보학과 | 6 | 397 | 66.17 | 12.00 | 50% |
| 경찰사법 | 경찰행정학부(인문) | 15 | 662 | 44.13 | 6.93 | 47% |
| 경영 | 경영학과 | 18 | 1,141 | 63.39 | 13.39 | 33% |
| | 회계학과 | 13 | 750 | 57.69 | 13.85 | 38% |
| | 경영정보학과 | 10 | 500 | 58.80 | 13.30 | 30% |
| AI융합 | AI소프트웨어융합학부(인문) | 4 | 265 | 66.25 | 8.00 | 0% |
| 사범 | 교육학과 | 5 | 281 | 56.20 | 10.40 | 40% |
| 인문 전체 | | | 9207 | 59.40 | 13.34 | - |

## ▶ 교과 내신 성적 ◀

| 대학 | 모집단위 | 23학년도 모집인원 | 주요 교과 내신 등급 평균 | | | 상위 10과목 내신 등급 평균 | | |
|---|---|---|---|---|---|---|---|---|
| | | | 평균 | 최저 | 표준편차 | 평균 | 최저 | 표준편차 |
| 문과 | 국어국문·문예창작학부 | 6 | 3.74 | 5.60 | 0.96 | 2.64 | 4.60 | 1.02 |
| | 영어영문학부 | 10 | 4.56 | 5.30 | 0.53 | 3.43 | 4.00 | 0.58 |
| | 일본학과 | 5 | 3.65 | 3.90 | 0.26 | 2.48 | 2.70 | 0.33 |
| | 중어중문학과 | 5 | 4.93 | 5.60 | 0.40 | 3.75 | 4.90 | 0.69 |
| | 철학과 | 5 | 4.40 | 5.60 | 1.05 | 3.02 | 4.30 | 1.13 |
| | 사학과 | 4 | 5.40 | 5.60 | 0.16 | 4.20 | 4.40 | 0.16 |
| 법과 | 법학과 | 15 | 4.63 | 6.20 | 0.99 | 3.30 | 4.80 | 0.96 |
| 사회과학 | 정치외교학전공 | 6 | 3.85 | 4.80 | 0.62 | 2.78 | 3.90 | 0.59 |
| | 행정학전공 | 6 | 4.32 | 5.10 | 0.85 | 3.10 | 4.10 | 0.88 |
| | 경제학과 | 5 | 3.96 | 5.20 | 0.67 | 2.64 | 3.10 | 0.30 |
| | 국제통상학과 | 12 | 4.50 | 5.70 | 0.81 | 3.45 | 4.80 | 0.91 |
| | 미디어커뮤니케이션학전공 | 5 | 4.15 | 5.00 | 0.63 | 2.95 | 3.60 | 0.42 |
| | 광고홍보학과 | 6 | 4.08 | 5.10 | 0.80 | 2.93 | 3.90 | 0.69 |
| 경찰사법 | 경찰행정학부(인문) | 15 | 3.74 | 5.80 | 1.06 | 2.65 | 4.60 | 1.08 |
| 경영 | 경영학과 | 18 | 4.28 | 5.30 | 0.63 | 3.20 | 4.20 | 0.53 |
| | 회계학과 | 13 | 4.38 | 6.20 | 1.04 | 3.10 | 4.70 | 1.03 |
| | 경영정보학과 | 10 | 4.00 | 5.10 | 0.54 | 3.04 | 3.80 | 0.53 |
| AI융합 | AI소프트웨어융합학부(인문) | 4 | 3.35 | 4.40 | 0.62 | 2.25 | 3.20 | 0.56 |
| 사범 | 교육학과 | 5 | 4.40 | 5.30 | 0.58 | 3.03 | 3.90 | 0.58 |
| 인문 전체 | | | 4.22 | 6.20 | 0.89 | 3.06 | 4.90 | 0.88 |

## ▶ 논술고사 성적 ◀

| 대학 | 모집단위 | 23학년도 모집인원 | 논술 유형 | 지원자 논술고사 | | | 점수 최종등록자 | | |
|---|---|---|---|---|---|---|---|---|---|
| | | | | 평균 | 최저 | 표준편차 | 평균 | 최저 | 표준편차 |
| 문과 | 국어국문·문예창작학부 | 6 | 인문Ⅱ | 82.48 | 50.04 | 5.05 | 88.54 | 87.19 | 1.26 |
| | 영어영문학부 | 10 | 인문Ⅱ | 82.44 | 50.04 | 4.34 | 88.73 | 87.34 | 1.24 |
| | 일본학과 | 5 | 인문Ⅱ | 82.48 | 50.87 | 4.69 | 88.72 | 88.17 | 0.36 |
| | 중어중문학과 | 5 | 인문Ⅱ | 82.83 | 67.32 | 3.71 | 89.09 | 88.09 | 0.60 |
| | 철학과 | 5 | 인문Ⅱ | 82.32 | 62.70 | 3.83 | 88.51 | 86.93 | 1.28 |
| | 사학과 | 4 | 인문Ⅱ | 81.61 | 55.41 | 4.67 | 89.63 | 88.20 | 1.54 |
| 법과 | 법학과 | 15 | 인문Ⅱ | 82.73 | 50.00 | 4.28 | 89.53 | 88.08 | 1.32 |
| 사회과학 | 정치외교학전공 | 6 | 인문Ⅰ | 81.75 | 54.09 | 5.26 | 87.21 | 85.73 | 1.15 |
| | 행정학전공 | 6 | 인문Ⅰ | 82.68 | 54.18 | 3.95 | 87.32 | 85.38 | 1.07 |
| | 경제학과 | 5 | 인문Ⅰ | 82.12 | 57.61 | 4.29 | 87.24 | 85.65 | 1.30 |
| | 국제통상학과 | 12 | 인문Ⅰ | 82.32 | 51.27 | 5.98 | 89.34 | 88.24 | 1.13 |
| | 미디어커뮤니케이션학전공 | 5 | 인문Ⅰ | 82.70 | 64.91 | 4.39 | 89.15 | 88.07 | 0.96 |
| | 광고홍보학과 | 6 | 인문Ⅰ | 81.81 | 56.73 | 4.65 | 87.92 | 86.50 | 1.20 |
| 경찰사법 | 경찰행정학부(인문) | 15 | 인문Ⅱ | 82.47 | 55.05 | 4.76 | 88.20 | 86.33 | 1.22 |
| 경영 | 경영학과 | 18 | 인문Ⅰ | 82.06 | 50.00 | 5.53 | 87.82 | 86.85 | 1.09 |
| | 회계학과 | 13 | 인문Ⅰ | 82.31 | 50.00 | 4.68 | 88.18 | 86.58 | 1.34 |
| | 경영정보학과 | 10 | 인문Ⅰ | 82.22 | 53.25 | 4.64 | 88.38 | 86.98 | 0.91 |
| AI융합 | AI소프트웨어융합학부(인문) | 4 | 인문Ⅱ | 81.48 | 69.58 | 3.27 | 86.50 | 85.76 | 0.57 |
| 사범 | 교육학과 | 5 | 인문Ⅱ | 81.93 | 68.63 | 3.73 | 88.28 | 86.64 | 1.15 |
| 인문 전체 | | | | 82.32 | 50.00 | 4.73 | 88.40 | 85.38 | 1.38 |

## (3) 2022학년도 논술 전형 결과

### ▶ 경쟁률, 실질경쟁률, 충원률 ◀

실질경쟁률 : 논술고사 응시자 중 수능최저학력기준을 충족한 지원자의 경쟁률
충원률 : 모집인원 중 수시최초합격 이후 추가로 합격한 비율

| 대학 | 모집단위 | 22학년도 모집인원 | 2022학년도 전형결과 | | | |
|---|---|---|---|---|---|---|
| | | | 지원인원 | 경쟁률 | 실경쟁률 | 충원률 |
| 문과 | 국어국문·문예창작학부 | 6 | 338 | 56.3:1 | 12.7:1 | 33% |
| | 영어영문학부 | 10 | 500 | 50:1 | 16.8:1 | 40% |
| | 일본학과 | 5 | 235 | 47:1 | 9.2:1 | 40% |
| | 중어중문학과 | 5 | 248 | 49.6:1 | 10.4:1 | 60% |
| | 철학과 | 5 | 208 | 41.6:1 | 10.6:1 | 60% |
| | 사학과 | 4 | 183 | 45.8:1 | 13.3:1 | 50% |
| 법과 | 법학과 | 24 | 1,364 | 56.8:1 | 16.3:1 | 38% |
| 사회과학 | 정치외교학전공 | 6 | 220 | 36.7:1 | 9.2:1 | 50% |
| | 행정학전공 | 6 | 222 | 37 : 1 | 9.7:1 | 67% |
| | 경제학과 | 9 | 313 | 34.8:1 | 6.7:1 | 33% |
| | 국제통상학과 | 14 | 602 | 43:1 | 12.1:1 | 14% |
| | 미디어커뮤니케이션학전공 | 6 | 341 | 56.8:1 | 14 : 1 | 17% |
| | 광고홍보학과 | 6 | 331 | 55.2:1 | 13.2:1 | 0% |
| 경찰사법 | 경찰행정학부(인문) | 15 | 599 | 39.9:1 | 5.5:1 | 27% |
| 경영 | 경영학과 | 20 | 1,101 | 55.1:1 | U : 1 | 15% |
| | 회계학과 | 15 | 584 | 38.9:1 | 8.5 : 1 | 60% |
| | 경영정보학과 | 13 | 544 | 41.9:1 | 11.4:1 | 38% |
| AI융합 | AI소프트웨어융합학부(인문) | 5 | 250 | 50:1 | 11.2:1 | 0% |
| 사범 | 교육학과 | 5 | 249 | 49.8:1 | 3.8:1 | 60% |
| 인문 전체 | | | 8,432 | 47.1:1 | 11.5:1 | - |

# ▶ 교과 내신 성적 ◀

| 대학 | 모집단위 | 22학년도 모집인원 | 주요 교과 내신 등급 평균 | | | 상위 10과목 내신 등급 평균 | | |
|---|---|---|---|---|---|---|---|---|
| | | | 평균 | 최저 | 표준편차 | 평균 | 최저 | 표준편차 |
| 문과 | 국어국문·문예창작학부 | 6 | 4.24 | 5.2 | 0.8 | 2.7 | 3.9 | 0.8 |
| | 영어영문학부 | 10 | 4.6 | 6.1 | 0.8 | 3.1 | 4.1 | 0.7 |
| | 일본학과 | 5 | 4.9 | 6.1 | 0.9 | 3.8 | 4.8 | 0.7 |
| | 중어중문학과 | 5 | 4.13 | 5.8 | 1.1 | 2.9 | 4.5 | 0.9 |
| | 철학과 | 5 | 3.8 | 3.8 | 0.0 | 2.7 | 2.7 | 0.0 |
| | 사학과 | 4 | 4.1 | 4.8 | 0.7 | 2.7 | 3.6 | 0.8 |
| 법과 | 법학과 | 24 | 4.1 | 5.5 | 0.9 | 2.7 | 3.8 | 0.7 |
| 사회과학 | 정치외교학전공 | 6 | 4.0 | 4.8 | 0.4 | 2.8 | 3.2 | 0.2 |
| | 행정학전공 | 6 | 4.7 | 6.5 | 0.9 | 3.4 | 5.2 | 0.9 |
| | 경제학과 | 9 | 4.0 | 5.4 | 0.9 | 2.9 | 4.5 | 1.1 |
| | 국제통상학과 | U | 4.7 | 5.6 | 0.8 | 3.3 | 4.7 | 0.9 |
| | 미디어커뮤니케이션학전공 | 6 | 4.2 | 4.5 | 0.2 | 2.9 | 3.4 | 0.4 |
| | 광고홍보학과 | 6 | 4.9 | 7.0 | 1.5 | 3.7 | 5.8 | 1.4 |
| 경찰사법 | 경찰행정학부(인문) | 15 | 4.43 | 6.7 | 1.3 | 3.2 | 5.3 | 1.1 |
| 경영 | 경영학과 | 20 | 4.1 | 5.9 | 0.7 | 2.8 | 4.8 | 0.7 |
| | 회계학과 | 15 | 3.8 | 5.9 | 1.0 | 2.5 | 3.8 | 0.7 |
| | 경영정보학과 | 13 | 4.3 | 5.3 | 0.8 | 3.1 | 4.5 | 0.8 |
| AI융합 | AI소프트웨어융합학부(인문) | 5 | 4.3 | 5.0 | 0.4 | 2.6 | 3.1 | 0.4 |
| 사범 | 교육학과 | 5 | 4.1 | 6.0 | 1.2 | 2.8 | 4.9 | 1.3 |
| 인문 전체 | | | 4.3 | 7.0 | 1.0 | 3.0 | 5.8 | 0.9 |

## ▶ 논술고사 성적 ◀

| 대학 | 모집단위 | 22학년도 모집인원 | 논술 유형 | 지원자 논술고사 | | | 점수 최종등록자 | | |
|---|---|---|---|---|---|---|---|---|---|
| | | | | 평균 | 최저 | 표준편차 | 평균 | 최저 | 표준편차 |
| 문과 | 국어국문·문예창작학부 | 6 | 인문II | 82.45 | 52.66 | 4.29 | 88.41 | 86.93 | 1.50 |
| | 영어영문학부 | 10 | 인문II | 81.43 | 50.00 | 4.23 | 87.85 | 86.66 | 1.02 |
| | 일본학과 | 5 | 인문II | 80.80 | 59.09 | 4.22 | 84.77 | 84.17 | 0.51 |
| | 중어중문학과 | 5 | 인문II | 81.26 | 50.00 | 5.09 | 85.90 | 84.24 | 1.43 |
| | 철학과 | 5 | 인문II | 81.09 | 52.62 | 6.05 | 87.85 | 86.21 | 1.13 |
| | 사학과 | 4 | 인문II | 81.43 | 68.88 | 3.77 | 85.86 | 85.31 | 0.35 |
| 법과 | 법학과 | 24 | 인문II | 81.83 | 51.60 | 4.70 | 88.70 | 87.13 | 1.83 |
| 사회과학 | 정치외교학전공 | 6 | 인문I | 81.21 | 66.94 | 4.45 | 88.48 | 86.16 | 1.85 |
| | 행정학전공 | 6 | 인문I | 79.64 | 59.27 | 4.33 | 86.27 | 85.22 | 0.65 |
| | 경제학과 | 9 | 인문I | 79.68 | 60.17 | 4.79 | 84.93 | 83.23 | 1.64 |
| | 국제통상학과 | 14 | 인문I | 80.62 | 51.40 | 4.48 | 87.32 | 86.17 | 0.84 |
| | 미디어커뮤니케이션학전공 | 6 | 인문I | 80.49 | 51.37 | 6.12 | 88.88 | 88.25 | 0.55 |
| | 광고홍보학과 | 6 | 인문I | 80.71 | 52.93 | 4.18 | 86.41 | 85.30 | 0.86 |
| 경찰사법 | 경찰행정학부(인문) | 15 | 인문II | 80.94 | 59.27 | 4.18 | 86.22 | 84.53 | 1.26 |
| 경영 | 경영학과 | 20 | 인문I | 79.92 | 51.38 | 4.78 | 87.29 | 85.48 | 1.58 |
| | 회계학과 | 15 | 인문I | 80.26 | 52.24 | 4.38 | 85.74 | 84.11 | 1.45 |
| | 경영정보학과 | 13 | 인문I | 80.75 | 52.24 | 4.46 | 86.64 | 85.76 | 1.02 |
| AI융합 | AI소프트웨어융합학부(인문) | 5 | 인문II | 81.33 | 59.89 | 3.99 | 86.61 | 85.96 | 0.47 |
| 사범 | 교육학과 | 5 | 인문II | 81.30 | 51.60 | 5.92 | 86.66 | 83.84 | 2.06 |
| 인문 전체 | | | | 80.93 | 50.00 | 4.71 | 87.04 | 83.23 | 1.79 |

## 3. 논술 분석

### 1) 전형 명칭 : 논술

### 2) 출제 구분 : 계열 구분

※ 기출문제가 인문 Ⅰ, 인문 Ⅱ가 있으나 기출문제의 방향의 차이는 없고, 지원자 때문에 시간대를 다르게 출제한 것임

### 3) 출제 유형 : 통합교과형 논술

① 비교를 통한 제시문의 요약

② 중심화제에 대한 설명과 비판

③ 견해나 대안 제시 등

### 4) 출제 방향 :

• 고교 교육과정을 바탕으로 한 제시문 기반으로 종합적 사고능력(이해력, 사고력, 문제 해결능력 등), 표현 능력등을 평가하는 통합교과형 논술

## 4. 출제 문항 수

· 총 작성분량 1,500자 내외

· 3개 문항 (영어 지문 없음)

· 문항 2개 : 250~400자

· 문항 1개 : 550~700자

## 5. 시험 시간

· 100분

## 6. 시험 필기구

·답안은 검정색 펜만을 사용할 수 있다. 연필이나 샤프와 같이 지우개로 지울 수 있는 필기구의 사용을 금지한다. 수정시 수정테이프나 원고지 교정법 활용

## 7. 논술의 특징

① 타 대학에 비해 제시문이 6~12개로 많다.

② 글의 종류가 설명문, 논설문, 시, 소설 등 다양하다

③ 분야도 인문, 사회, 자연, 철학 등 광범위 하다

그러므로 기출문제를 시간에 맞춰 꼭 풀어보는 연습이 있어야 한다.

## 8. 답안의 이외의 작성

답안에 아무것도 즉, 인사, 낙서, 이모티콘과 같은 그림 등은 표시하면 안 된다. 특히, 절대 자신의 신상과 관련된 표현 (학교, 이름, 지역 등)을 나타내는 표시가 발견되면 0점 처리된다.

# 9. 평가 방법

대분류 상, 중, 하로 평가하고, 그 안에서 S, A, B, C, D, E, F로 구성

| 대분류 | 중분류 | 채점 사항 |
|---|---|---|
| 상 | S | 채점 기준, 채점 요소를 모두 만족하는 경우 |
| | A | 채점 요수 중 구분 없이 만족하나, 1개 요소만 작성이 부족할 경우 |
| 중 | B | 채점 요수 중 구분 없이 3개 이상 만족하고, 2개 요소가 작성이 부족할 경우 |
| | C | 채점 요수 중 구분 없이 3개 요소만 작성하였을 경우 |
| | D | 채점 요수 중 구분 없이 2개 요소만 작성하였을 경우 |
| 하 | E | 채점 요수 중 구분 없이 1개 요소만 작성하였을 경우 |
| | F | 답안을 쓰지 않거나 채점요소와 관련없는 내용이나 비논리적인 내용을 작성한 경우 |

# 10. 동국대가 제시하는 대표 논제(문제)의 명령어의 유형

① 논술하라

　주장을 밝히고 근거를 제시한다.

② 분석하라

　주제를 구성요소로 나누고 각 부분의 의미와 상호관계를 밝힌다.

③ 요약하라

　핵심내용이나 주장을 간략하게 정리한다.

④ 비교(대조)하라

　사물의 공통점이나 차이점을 밝힌다.

⑤ 비판하라

　어떤 주장의 타당성이나 가치 등을 평가한다.

⑥ 설명하라

　사실, 주장 등을 쉽게 풀어서 밝힌다.

# 11. 동국대가 요구하는 논술 글쓰기 요령

① 통일성과 완결성이 있는 글을 써야 한다.
② 논제의 핵심에서 벗어나면 안 된다.
③ 제시문 문장을 그대로 옮기는 것은 금물이다(특히 요약의 경우).
④ 부적절하고 맥락이 맞지 않는 지식 과시용 인용은 역효과로 작용한다.
⑤ 천편일률적 대안은 좋은 평가를 받지 못한다.
⑥ 동어반복, 누구나 아는 일반적인 진술, 문구는 삼간다.
⑦ 과격하고 지나친 단정은 위험하다.
⑧ 짧고 간결한 문장이 강한 인상을 남긴다.

# 12. 동국대가 요구하는 논술 방향

① 의문문, 청유형은 가능한 한 사용하지 않는다.

② 무의미한 진술을 삼가며 바로 논점으로 들어간다.

③ 주어를 생략하지 않는다.

④ 주어와 서술어가 일치하도록 한다.

⑤ 추측성의 모호한 어미는 피한다.

⑥ 감탄형 표현과 감상적인 어조는 피한다.

⑦ 번역투의 문장은 피한다.

⑧ 비유적 표현을 삼간다.

⑨ 가급적이면 깨끗하고 단정한 필체로 작성한다.

# II. 기출문제 분석

| 기출 연도 | 출제 의도 |
|---|---|
| 2024학년도<br>수시 기출<br>(인문계열 I) | 다문화 가정 외국인을 바라보는 한 주인공의 생각과 관점의 변화를 서술한 시를 통해, 국적, 인종, 문화, 취향 등이 다른 사람을 대하는 태도와 행동을 성찰하고, 더불어 살아가는데 필요한 덕목과 가치(태도)가 무엇인가를 서술하도록 함. 특히, 제시문에 나타난 생태 중심주의, 사유주의적 가치관, 동양석 윤리관을 바탕으로 인간 사이의 평등, 타인 존중, 개인의 자유, 상호 공존이라는 생태적, 사회적 가치와 개인적 덕목이 이 시의 배경과 관련 있음을 파악하고, 이를 논술할 수 있는 능력을 평가하고자 함. |
| | 　정보의 비대칭 하에 발생할 수 있는 도덕적 해이의 개념을 이해하고, 이 개념을 예금자 보험 제도에 적용할 수 있다.<br>　금융기관 부실 시 예금자 보호를 위하여 실행된 예금자 보험 제도에서도 예금보험공사와 보험 가입자인 금융기관 간 정보의 비대칭이 존재하며, 이로 인하여 보험가입자인 금융기관이 무분별한 예금수취와 부실한 자금운용 등의 도덕적 해이가 발생할 수 있음을 이해한다.<br>　도덕적 해이를 해소하기 위하여 정보량이 적은 예금보험공사는 '골라내기'를 통하여 금융기관의 재무상태를 요구하거나 위험이 높은 금융기관에게는 차등 보험료를 부과하는 등의 방식을 사용할 수 있음을 이해한다. |
| | 　제시문 [가]와 [라]는 각각 갈등의 폭력과 평화의 개념, 그리고 요나스의 '책임윤리'개념에 대해서 설명하고 있는 글이다. 이 두 제시문은 도덕과 교육과정에서 세계시민, 평화와 공존 등의 교과과정과 관련해서 학습하는 항목으로 윤리 교육을 통해 학습한 개념과 문제의식을, [나]와 [다]의 문학작품에 대한 비판적 읽기에 적용할 수 있는지를 평가하기 위한 통합논술형 문제이다. '폭력'의 양상과 인간의 갈등을 야기하는 상황 등을 문학 작품을 통해 분석적으로 파악하고 그 원인과 해결 방안 등을 추론해 내도록 유도한다.<br>여러 자료에 대한 비판적 독서를 통해 독자 자신이나 사회가 안고 있는 문제들에 대한 해결의 실마리를 얻고, 필자의 관점이나 생각에 대하여 다양한 대안을 마련하며 읽는 능력을 평가하는 문제이다. 글을 읽으면서 해결 방안이나 대안을 떠올리며 읽는 것은 비판적·창의적 읽기의 방법으로서, 적극적인 읽기 태도와 능력을 평가한다. |
| 2024학년도<br>수시 기출 | 지구 온난화 문제 등의 전 지구적 수준의 문제들은 인류의 생존과 지구라는 공동체의 존속을 위협하는 요인들임을 이해한다. 인류는 |

| | |
|---|---|
| (인문계열 II) | 이러한 문제들에 대해 효과적이고 체계적으로 대응해야 지속 가능한 사회를 실현할 수 있음을 이해한다. 국제 문제를 해결하기 위해서는 특정 국가의 노력을 넘어 국제 관계를 규율하고 질서를 유지하기 위한 규범인 국제법을 통하여 협력할 수 있음을 이해한다. 온실가스 감축을 위해 맺은 파리 기후 변화 협약이 그 예임을 이해한다. 현대에는 국제 관계에 국가뿐 아니라 비정부기구(NGO), 지방 자치 단체, 시민 단체, 소수 인종, 국제적 영향력이 있는 개인 등도 국제 관계에서 중요한 역할을 하고 있음을 이해한다. 손수건 사용하기 등 개개인의 작은 실천은 갈수록 나빠지는 지구 환경을 되살리는 데에도 이바지할 것이라는 점을 파악한다. |
| | 어떠한 규범과 관습이라고 할지라도 시간이 흐름에 따라서 그 가치가 변한다. 2000여 년 전에 공자와 맹자가 주장한 부모의 잘못을 비호하는 효의 개념이 오늘날에는 어떻게 바뀌었는지를 파악하고자 하는 문제이다. 따라서 춘추전국시대 공자와 맹자가 제기한 효의 개념을 정확히 파악하고 있는지를 평가하고, 동시에 오늘날에는 이런 효의 개념이 왜 적용될 수 없으며 어떻게 변천했는가를 이해하고 있는지를 평가하려는 의도이다. |
| | 자유주의와 공동체주의 관점에서 개인과 공동체 간의 관계와 각각의 정의관(正義觀)을 이해하고 있는지, 그리고 이를 역사적 사건에 적용하여 설명할 수 있는지를 평가하고자 한다. |
| 2023학년도 모의 논술 (인문계열) | 문제는 디지털 뉴미디어 및 정보 사회에 노인들의 사회화가 왜 중요하며, 그 목적은 무엇이고 노인들의 사회화를 위해 어떤 유형의 사회화 과정이 필요한지를 파악하고 설명하는 데 그 목적이 있다. 이를 기술하는 과정에서 학생의 종합적 사고능력(이해력, 사고력, 문제해결능력 등)을 평가하고자 함. 특히 고교 교육과정을 바탕으로 한 제시문 기반의 사고능력 및 표현능력을 평가하기 위해 사회화를 바라보는 세 가지의 관점을 정확하게 이해하고 있는지, 사회화가 개인적 차원 및 사회적 차원에서 어떤 기능을 지니는지, 전 생애에 걸쳐 이루어지는 사회화 유형에 대한 정확한 개념의 이해하고 있는지 등의 내용을 토대로 평가하고자 함. |
| | 학생들의 독해력과 문해력, 그리고 그것을 통한 비판적, 통합적 사고력을 측정하기 위한 문제이다. 소설과 시의 독해를 통해서 작품의 공통된 주제를 찾아내고 그 주제 안에 담긴 사회적 문제점이나 상황을 주어진 다른 제시문의 내용과 관련해서 재인식할 수 있는지를 평가한다. 또 그 결과에 대한 해결 방안을 보여주는 제시문의 내용 속에서 해결책을 찾아 제시하고 그 해결책이 가능한 이유를 잘 파악하는지 평가한다. 이 문항은 학생들의 통합 사고능력, 그를 통한 고교 각 교과목의 학습 내용에 대한 복합적 인식과 추론, 판단 능력을 평 |

| | |
|---|---|
| | 가하는 문제이다. |
| | 개인선의 실현을 강조하는 자유주의적 정의관에서는 개인이 스스로 노력하여 취득한 사유재산권에 대한 개인의 권리를 중시한다. 반면 공동선의 실현을 강조하는 공동체주의적 정의관에서는 개인의 사유재산권은 공공복리 차원에서 제한될 수 있는 상대적 권리로 볼 수 있다. 공동체 구성원의 공동선을 증진시킬 수 있다면 사유재산권의 제한은 공동체 구성원의 의무로서 정의롭다고 평가할 수 있다. |
| | 모두의 행복을 추구하기 위해서는 개인과 공동체 중 어느 한쪽만을 지나치게 중시해서는 안 되며, 양자를 상호 보완적인 관계로 바라보고 둘의 조화를 지향해야 한다. 즉, 공동체는 개인의 자유와 권리를 최대한 보장하고, 개인은 공동체에 대한 의무를 적극적으로 수행할 필요가 있다. 이를 통해 개인선과 공동선의 조화가 적절히 이뤄질 때 모든 구성원이 행복한 정의로운 사회가 될 것이다. |
| 2023학년도 수시 기출 (인문계열 I) | 사회 구성원 사이에 의사소통 수단으로서의 언어의 역할과 언어와 문화의 관계를 이해하고 있는지, 사람들이 뉴미디어 (SNS)에서 쓰는 줄임말이나 신조어 사용 현상을 문화의 정의 및 문화의 속성에 관한 이해를 바탕으로 '문화'라 말할 수 있는 근거를 제시할 수 있는지를 평가하고자 함. 또한 제시문을 토대로 줄임말, 신조어 사용이 의사소통에서 발생할 수 있는 부정적 영향(문제점들)을 정확하게 파악할 수 있는지, 그리고 이에 대한 해결 방안을 도출하는 분석적 이해력 및 적용 능력을 평가하고자 함 |
| | 경제에서 생산 활동의 주체로서 기업의 역할과 영향력 확대, 기업가적 혁신 활동의 중요성을 이해한다. 기업과 기업가는 혁신적인 기술 개발과 과학 기술 활용을 통해 이윤을 창출하지만, 그로 인한 부작용도 발생할 수 있다는 점을 파악하고 도덕적 성찰을 해야 할 책임이 있음을 이해한다. 기업은 인간, 사회, 자연에 대한 영향력이 막대하고, 사회에서 필요한 자원을 조달하여 성장하며, 혁신의 결과로 인한 이윤을 얻으므로 그에 상응한 사회적 책임을 갖는 것이 인류와 미래를 위한 기업의 올바른 방향이라는 점을 파악한다 |
| | 제시문(가)에서 개인의 양심과 진리와 정의가 '위대한 인간 선언'의 조건임을 파악하고 (나)와 (라)에서는 국가의 정당성이 어떻게 이루어 질 수 있는지를 찾아 서술할 수 있는 독해력을 평가한다. 또, 개인의 윤리성과 국가의 정당성이 바탕이 된 상태에서 세계화로 인한 불평등을 비롯한 다양한 문제의 해법을 주어진 제시문을 바탕으로 하여 논리적으로 제시할 수 있는지 평가하기 위한 문제이다. 기본적으로 독해력을 통해 삶의 다양한 문제에 대한 해결 방안을 찾고, 주어진 문제를 여러 고교교육 과정 내 과목의 학습을 바탕으로 한 통 |

| | 합적 사유로 풀어 나가는 능력을 평가한다. |
|---|---|
| 2023학년도 수시 기출 (인문계열 II) | 일탈 행동의 의미, 일탈 행동을 판단하는 기준 및 일탈 행동을 규정하는 기준을 정확하게 이해할 수 있는 능력을 파악하게 한다. 그리고 사례를 적용하여 일탈 행동을 설명할 수 있는 이론적 관점을 분석하고 이해하여 각 이론의 유용성과 한계를 인식할 수 있게 하는 것이 출제의도라고 할 수 있다. |
| | 공공재 무임승차를 주제로 선택하여, 공공재의 속성으로 인해 예측되는 사람들의 사회적 행태가 어떠할 지를 이해하고, 공공재에 대한 실험에서의 사람들의 실제 반응 양상을 요약하고, 제시문을 바탕으로 실험 결과를 설명하도록 하였다. 이를 통해 논술 주제에 대한 이해력, 실험 결과의 추론 해석 능력, 그리고 논술 작성 능력을 확인하는 것을 목적으로 하였다. |
| | 시민이 사회적 쟁점의 해결에 참여할 때 발생할 수 있는 한계들을 개인의 사회적 감정과 합리적 선택이라는 개념을 통해서 찾아보고, 이 한계점을 바탕으로 하버마스의 공론장을 비판적으로 기술하고, 나아가 그 대안을 탐색할 수 있는 분석적 이해력과 적용 능력을 확인하는 것을 목적으로 한다. |
| 2023학년도 모의 논술 (인문계열) | 자유무역주의와 보호무역주의를 이해하고 지역 경제권의 형성과 변화과정을 이해했는지 질문. 1980년대 이후 지역 경제권이 발달하였으나 최근의 일부 탈퇴는 국가들이 다시 보호무역의 시행함을 뜻한다. 녹색보호무역주의라는 최근의 국제경제 상황을 이해했는지 질문함. |
| | 대중이 정치에 참여할 경우의 문제점을 개인의 비합리성과 합리적 선택이라는 개념을 통해서 조망해 보고, 이 문제점을 바탕으로 룰스의 심의민주주의와 하버마스의 공론장을 비판적으로 기술할 수 있는 분석적 이해력과 적용 능력을 확인하는 것을 목적으로 한다. |
| | 주어진 제시문의 독해를 바탕으로 (가) 제시문의 핵심개념을 활용하여 (라)와 (마)의 사례를 분석하는 능력을 측정한다. 이 때 (가) 제시문의 도덕적 추론을 활용하여 제시문 (나)의 책임, 배려의 윤리 개념을 도덕적 판단을 위한 도덕 원리로 사용하는지를 측정하여 윤리적 사유의 과정과 논리적 추론 능력, 그의 실제적인 적용을 측정하려는 문제이다. 두 번째 질문은 첫 번째 질문에서 이루어진 도덕적 추론을 바탕으로 (라), (마)의 두 사례에 (나) 제시문의 책임, 배려 윤리 개념과 (다) 제시문의 윤리적 소비 개념을 이용하여 실제 (라), (마) 두 사례에 대한 도덕적 비판을 수행하는 능력을 측정한다. |
| 2022학년도 수시 기출 (인문계열 I) | 세계화로 인한 국제사회의 변화와 그로 인한 문제의 발생원인과 해결방안을 이해할 수 있는지를 물어본다. 주어진 문제를 해결하기 위한 국제 관계를 바라보는 관점을 이해하고 그 해결방안을 모색함. |

| | |
|---|---|
| | 자원 문제, 식량 문제 등의 양상을 살펴보고, 이에 대응하는 과정에서 공동의 관심사에 대한 구성원으로서의 협조와 실천이 중요하다는 점을 물어본다. |
| | 경제에서 다루는 외부 효과 개념을 외부 경제와 불경제로 나눠서 제대로 이해하고, 이로 인한 시장 실패를 교정하기 위해 정부가 개입하는 상황을 실제 사례에 적용하여 정부의 개입하는 경우 나타날 수 있는 문제점과 그 해결 방안을 도출하는 분석적 이해력과 적용 능력을 확인하는 것을 목적으로 한다. |
| | 제시문【가】를 이용하여 소설의 일부인 제시문【라】의 인물들이 지닌 도덕적 요소를 찾아내고 제시문【나】와【다】에 나타난 도덕적 갈등 상황의 문제 해결이 어떤 도덕적 요소에 의해서 이루어졌는 지를 설명하는 문제다. 주어진 제시문의 독해를 통해 중요한 개념을 찾아내고 그것을 다양한 형태의 지문과 상황 속에서 적용하여 테러리즘에 대한 비폭력 저항의 윤리성을 설명하도록 함으로써 독해력, 추론 능력, 주어진 정보를 통한 문제 해결력과 응용력 등을 통합논술의 취지에 맞춰 종합적으로 측정한다. |
| 2022학년도 수시 기출 (인문계열 Ⅱ) | 책이나, 신문 인터뷰, 텔레비전, 인터넷 광고, 지도 등 다양한 매체 자료에서 독자들에게 매체 문해력 증진을 위한 보편적으로 타당한 합리적 해석을 이끌어 내기 위한 기준 3개를 제시하고, 그 기준을 가지고 각각의 제시문의 어떤 문제점이 있는 것인가를 알아보고자 한다. |
| | 과학기술에 대한 다양한 관점을 비교 설명할 수 있으며, 특히 과학 기술의 이분법적 세계관, 도구적 자연관, 과학 기술의 사회적 책임 등을 이해하고 있는지를 평가하고자 한다. 또한 이러한 관점을 동서양이 자연에 대해 갖는 세계관을 통해 비판적으로 이해하고 있는지를 알아보고자 한다. 특히 인공 지능과 같은 정보통신기술의 발달이 인간과 기술의 관계에 미치는 영향을 고민해보도록 하고자 하였다. 본 문항은 수험생들의 제시문에 대한 이해 및 추론 능력을 측정하려는 의도를 갖고 있다. 본 문항의 모든 지문은 고등학교 교과서와 EBS교재를 바탕으로 구성되었다. 결론적으로 고등학교 교육과정의 범위와 수준을 벗어나지 않으면서도, 대학교 수준의 학업수행에 필요한 기초역량을 평가하려는 것이 문항의 출제 의도라고 할 수 있다. |
| | 정보 통신 기술의 발달과 함께 새롭고 다양한 매체들이 출현했지만, 책이라는 매체와 독서(책 읽기)라는 행위는 여전히 지식과 정보를 제공받는 중요한 수단이다. 이 문항에서는 책의 제작과 유통, 독서 문화를 확인할 수 있는 다양한 종류의 글을 분석하여, 지식을 공유하여 문화를 발전시키고자 했던 인류의 오랜 역사를 종합적으로 파악 |

할 수 있는가 물었다. 각 제시문에 드러난 정보를 정확하게 파악하고 있는가, 드러나지 않은 정보를 예측하여 숨겨진 주제와 생략된 내용을 추론할 수 있는가, 작품에 반영된 시대 상황을 이해하고 있는가, 각 제시문을 맥락에 따라 읽고 있는가를 확인하고자 하였다.

제시문【가】는 책의 수용 방식이 다양함을 확인시켜 주는 내용이다. 제시문【나】의 복잡한 공정과 비싼 제작비로 상류층만 향유할 수 있던 중세 유럽의 필사본 문화, 【다】의 근대(일제 강점기) 감옥에서도 열성적으로 책을 읽고자 했던 독서 욕구와 잡지가 '뒤지'로 쓰일 정도로 책이 흔해진 근대 인쇄 출판 문화, 【라】의 전자책(단말기)이라는 새로운 매체의 출현과 이와 함께 변화한 독서 문화를 파악하려면, 글에 드러난 정보를 정확하게 파악해야 하고, 글에 드러나지 않은 정보를 예측하는 추론 능력을 필요로 한다. 제시문【마】의 화자와 제시문【바】의 생물학자는 책을 통해 지식을 공유하려는 목적은 같으나 서로 상반된 방식으로 이를 실천하고 있다. 두 글을 비교하여 공통점과 차이점을 도출해야 한다. 책과 독서를 소재로 하는 여러 종류의 글을 이해하고 분석하면서, 그 글이 쓰인 당시의 시대 배경과 문화를 충분히 고려하고 있는가를 파악하고자 하였다.

| 2022학년도 모의 논술 (인문계열) | 궁극적으로 '언어와 사고'의 관계, '언어와 문화'의 관계를 지문을 통해서 이해할 수 있는지를 묻고자 하였다.<br>일반적으로 '언어와 사고', '언어와 문화'는 밀접한 관계가 있다고 평이하게 말하고 있다. 문제에서【가】에서는 사물이나 현상이 이름으로 불려지면 구체적으로 드러나지만【나】에서는 단어가 없어도 개념을 지각하고 사고할 수 있다고 하고 있어 이들은 서로 상반되는 예문이다.<br>【가】와【나】의 예문은 서로 상반되는 내용을 가지고 있지만【다】와【라】의 예문은 '언어와 문화'가 밀접한 관련에 있다는 일반적인 원칙에 부합된다.<br>궁극적으로 '언어와 사고'와 '언어와 문화'를 서로 부합되지 않는 예문과 부합되는 예문을 어떻게 파악하여 요약하는지를 파악하고자 하였다. |
| --- | --- |
| | 제시문【가】에서 설명되고 있는 범죄 발생 이론에 기초하여 제시문【나】와 제시문【다】에서 사회 문제 (즉, 실업으로 인한 빈곤의 악화, 소득 불평등으로 인한 사회 양극화)에 대한 대안을 도출할 수 있는 능력을 측정하기 위한 문제이다. 덧붙여서, 제시문【가】에 기초하여 추정된 대안을 제시문【라】의 관점에서 비판하고 예상되는 문제점과 해결책을 추론할 수 있는 능력을 측정하고자 한다.<br>다양성이 증가하고 있는 현대 사회에서의 원만한 인간관계를 형성하 |

<table>
<tr>
<td></td>
<td>고 인간 상호작용을 생산적, 창의적으로 수행하는데 요구되는 의사 소통 방식과 태도 및 자세를 파악하고자 의도하였다. 사람들 간의 의사소통 방식의 차이에 대한 이해와 공감적 소통, 다문화 상황에서 다른 문화적 배경을 가진 사람들 간에 상대의 입장을 이해하고 공감 하며 존중하는 태도와 행동, 서로 다른 문화권의 세상을 보는 인식 과 태도 및 표현 방식을 이해할 수 있는 능력이 요청된다. 특히 창 의력을 개발하기 위해서도 다양한 경험과 지식, 소통이 필요하다. 다 양성에 대한 이해와 수용 및 존중과 공존하려는 자세, 상대의 문화 를 존중하는 자세, 서로 다른 차이와 관점에 대해 개방성을 갖고 배 움으로써 창의력 개발 기회로 삼는 태도를 파악하고자 했다.</td>
</tr>
<tr>
<td rowspan="3">2021학년도<br>수시 논술<br>(인문계열 Ⅰ)</td>
<td>한글 맞춤법은 가장 기본적이라 할 수 있으면서 모든 고등학교 국어 교과서에서 공통적으로 다루고 있다. 제시문【가】에서는 한글 맞춤법 의 가장 기본적인 원칙인 한글 맞춤법 통일안 총칙 제1장의 제1항과 제2항의 내용을 파악하고 있고, 제1장의 제1항·제2항의 내용을 근거 로 이들의 공통적인 목적이 '원활한 의사소통'임을 추론하는 능력을 측정하고자 하였다. 제시문【나】와【다】에서는 각각 지역 방언, 계층 방언의 예임을 파악하는지, 표준어 지역에서 지역 방언과 계층 방언 이 원활한 의사 소통과는 어떤 관계가 있는지를 파악하고 있는지 묻 고자 하였고, 제시문【라】에서는 원활한 의사소통과는 모순되어 보이 는 방언을 사용한 문학 작품에서 방언을 사용하는 이유가 어디에 있 는지를 묻고자 하였다.</td>
</tr>
<tr>
<td>제시문【가】에서는 보여지는 사회문제에 대한 두 가지 입장이 존재 하고 있음을 인지하는지에 대한 능력을 측정하기 문제이다. 두 가지 입장을 지지할 수 있는 이론적 기초들을 제시문【나】와【다】의 진화 론과 공리주의, 제시문【라】와【마】의 종교의 기본 교리와 칸트의 인간성에 두고 있음을 추론할 수 있는 능력을 측정하고자 하였다. 특히, 진화론을 공리주의 입장에 재해석하고 이를 사회 문제에 적용 할 수 있는 능력을 평가하고자 하였다. 이를 통해서, 다양한 관점에 서 하나의 사회 문제를 검토할 수 있는 능력의 측정도 가능하다. 마 지막으로, 자살에 대해서 첫 번째 관점이 보여주고 있는 문제점을 두 번째 관점에 비추어 비판할 수 있는 능력의 측정을 추가하였다.</td>
</tr>
<tr>
<td>최근 사회변동 가운데 중요한 흐름인 4차 산업 혁명 현상의 내용을 이해하고 이로 인해 발생하는 사회·경제적인 긍정적 효과와 부정적 영향을 통합적으로 이해하고 체계적으로 정리할 수 있는지 교재의 내용을 중심으로 질문하였다. 나아가 경제 주체인 기업과 정부의 기 능 및 역할에 대한 이해를 바탕으로, 사회적 이슈가 되고 있는 로봇 세와 기본 소득 제도와 같은 조세 및 보조금 제도의 순기능과 역기</td>
</tr>
</table>

<table>
<tr><td rowspan="4"></td><td>능에 대해 노동자, 시장, 기업 및 기업가, 정부 차원에서 객관적으로 파악하고, 정책과 제도를 통한 정부의 시장 개입이 미치는 영향에 대해 합리적 추론 능력을 갖추고 있는지 파악하고자 의도하였다.</td></tr>
</table>

오늘날 국제 사회에서 발생하는 국제 분쟁에 초점을 맞춰, 국제 분쟁의 성격 및 해결 방안에 대해 수험생이 어느 정도 이해하고 있는지를 묻고 있다. 역사적으로도 국제 분쟁은 계속해서 발생해 왔다. 특히 제국주의 시기에는 국제 분쟁이 더욱 더 첨예화되었다. 수험생들이 국제 분쟁을 약탈 문화재 반환이라는 구체적 내용을 통해 다양한 측면에서 고민해보도록 하고자 하였다.

논제를 통해 수험생들의 제시문에 대한 이해 및 추론 능력을 측정하려는 의도를 갖고 있다. 모든 지문은 고등학교 교과서를 바탕으로 구성되었다. 결론적으로 고등학교 교육과정의 범위와 수준을 벗어나지 않으면서도, 대학교 수준의 학업수행에 필요한 기초역량을 평가하려는 것이 출제 의도라고 할 수 있다.

**2021학년도 수시 논술 (인문계열 Ⅱ)**

경제 및 사회·문화, 통합사회 교과목에서 경제 변동과 안정화 정책이라고 하는 개념과 관련된 5개의 제시문을 뽑아 출제하였다. 한 국가의 경제 활동은 상승 국면과 하강 국면을 되풀이하며 나타나는데, 이 과정을 경기 변동이라고 한다. 총수요와 총공급의 변화는 경기 변동에 영향을 준다.

본 문항은 경제 성장을 안정적으로 유도하는 경제 정책에 대한 수험생의 이해도를 묻고 있으며, 이를 통해 경제 성장, 물가 안정, 고용 창출이라고 하는 현대 자본주의 경제 정책의 핵심 개념과 작동 원리에 대한 이해도와 설명력을 알아보고자 했다. 궁극적으로 본 문항은 제시문에 대한 이해력과 추론능력을 측정하여 대학 학업수행에 따른 기초 역량 등을 평가하고자 했으며, 모든 제시문은 교과서 내에서 발췌하였다.

한문 수필과 현대시를 관통하는 주요 주제 중에서 윤리적 성찰의 문제를 찾아내는 역량을 평가하고자 하였다. 이는 성장기 청소년 교육과정에 중요하게 설정되어 있는 자아 성찰과 밀접한 관련을 맺고 있는 주제이기도 하다. 독서, 문학, 생활과 윤리 교과에서 관련 제시문을 빌려와 자아 성찰 양상의 특성을 비교 분석하도록 하였다. 조선시대를 대표하는 선비 다산 정약용의 수필 「수오재기」와 일세 강점기에 활동했던 시인 윤동주의 시 「쉽게 씌어진 시」를 윤리적 성찰의 입장에서 살펴보되, '현상적 자아'와 '본질적 자아'의 개념을 활용하도록 문제를 설계했다. 나아가, 두 제시문의 개별적 차이를 '참된 자아의 발견'과 '부끄러움의 발견'으로 기술할 수 있도록 조건을 주었다. 이 과정에서 제시문 전체를 이해하는 독서 역량 중 추론적 읽기

| | |
|---|---|
| | 역량이 필요하므로 평가의 주요한 요소가 된다. 본 문항은 교과서 제시문에 대한 사실적 이해 능력, 추론 능력, 문제에 대한 효율적 쓰기 능력 등을 평가하고자 함으로써 고교 교육 정상화에 보조를 맞추고자 하였다. |
| 2021학년도 모의 논술 (인문계열) | 본 문항은 한국의 다문화 사회의 양면성을 이해하고 사회 구성원으로서의 다양성이 인정되는 바람직한 태도를 인식하고 있는지를 알아보기 위한 문항이다. 이와 관련하여 글에 대한 분석력과 그 숨은 의미를 잘 이해, 정리할 수 있는지 등의 능력을 평가하는 것이다. 나아가 사회적 문제에 대해 폭넓게 인지하고 있는지도 알아볼 수 있다. |
| | 논란이 많은 중요한 주장에 대하여 여러 관련 정보를 활용해서 그 주장을 논리적으로 옹호하거나 반박하는 능력을 평가하고자 한다. 더불어, 그 옹호나 반박 과정에서 해당 명제의 의미를 명료화하는 능력을 알아보고자 한다. |
| | 역사적 경제 현상을 시장 원리의 연장으로 이해할 수 있는 능력과 함께 동일한 시장 원리가 시장 실패를 교정할 수 있는 가의 여부를 논리적으로 정당화하거나 반박하는 능력을 평가하고자 한다. 또한 시장 경제의 원리를 정초한 핵심적 고전의 주장을 창의적으로 해석하여 현실 사례에 대한 판단의 근거로 활용할 수 있는 능력을 알아보고자 한다. |
| 2020학년도 기출 논술 (인문계열 Ⅰ) | 제시문 (가)에서 설명되어 있는 플라톤의 사상과 제시문 (나)에서 설명되어 있는 아리스토텔레스의 사상을 비교하여 사상적 차이점을 분석할 수 있는 능력을 측정하기 위한 문제이다. 이를 통해, 제시문 (라)에서 설명되어 있는 불교와 플라톤 및 아리스토텔레스의 사상 간의 유사점을 추론하는 능력을 측정하고자 한다. 마지막으로, 제시문 (다)의 문학작품 작가의 글을 읽고, 제시문 (가)의 관점에서 적용하여 분석하는 능력을 측정하고자 한다. |
| | 수험생들의 특정한 논리적 추론 능력과 그 추론 과정에 관한 서술 능력을 평가한다. 전통적으로 논증은 어떤 이슈나 쟁점에 대하여 한 입장을 옹호하든가 반박하는 방식으로 이루어져 왔다. 여기에서 더 나아가 출제자는 본 문항을 통해 학생들이 어떤 현안 문제에 관해 (i) 자신의 입장을 세우고, (ii) 타 입장의 타당한 측면을 부분적으로 수용한 후, (iii) 자신의 원래 입장을 좀 더 설득력 있게 변형시키는 논리/논술 능력의 향상을 의도하였다. |
| | 윤리학의 이론 철학적 측면과 실천 철학적 측면의 관계, 응용 윤리의 실천 철학적 측면이 현실 속에서 어떻게 중요한지, 공감의 능력과 노력이 윤리적 실천에서 어떻게 관여하며 중요할 수 있는 지 등을 제시문 (가), (나), (다)의 독해를 통해 파악해 내는 독해 능력과 실천 철학의 차원에서 도덕적 판단을 위한 이론적 근거뿐만 아니라 |

| | |
|---|---|
| | 공감능력과 노력의 중요성을 실제 문학작품의 해석을 통해 적용하여 시를 감상할 수 있는 '독서 결과의 응용 능력 평가' 등을 통해 학생의 고교 교육과정 학습의 정도와 수학 능력 정도, 종합적 독해와 사고능력을 측정한다. |
| 2020학년도 기출 논술 (인문계열 Ⅱ) | 세계사의 '제국주의' 및 '식민지'와 밀접하게 관련된 사상을 문학 작품을 통해 추론하고 사회·문화의의 '문화의 다양성'과 관련된 내용을 바탕으로 그러한 사상의 문제점을 도출할 수 있는 분석적 이해력 및 적용 능력을 확인하는 것을 목적으로 한다. |
| | 유전자 조작을 통해 구현한 이상세계에 대한 글에 대해서 인간의 존엄성에 대한 글, 그리고 유전 공학을 사용한 인간 향상에 대해 비판적인 두 철학자의 의견의 담긴 글을 읽고 그 내용을 분석하여 답안을 구성하는 표현능력을 평가하고자 하였다. 구체적으로 이 문제를 풀기 위해서는 주어진 조건에 따라 글을 작성하는 능력을 평가하기 때문에 '읽기, 내용 파악하기, 요점 정리하기, 요점을 텍스트에 적용하기, 적용한 요점들을 효율적으로 표현하기' 활동이 필요하다. 유전자 조작을 통해 향상되고 분화된 능력을 지닌 인간으로 구성된 사회의 여러 모습에 대해서 인간 존엄성과 자율성, 행위 주체성의 과도함을 근거하여 비판적으로 문제점을 논리적으로 제시하는 능력을 평가하고자 하였다. |
| | 이 문항은 국어, 문학, 사회 등 3개 교과서에서 4개의 제시문을 추출하고, 이 제시문을 비교 분석하여 종합적으로 판단하고 서술할 수 있는 능력을 측정하고자 했다. 즉 <가>에서 제기된 다수결 방식의 허점을 보완하기 위해서, 어떤 노력과 태도가 필요할 것인지를 <나> <다> <라> 에 대한 독해를 통해 발견하고 그를 논리적으로 설명할 수 있는가를 평가하고자 한다. 지문들은 모두 고교 교과서에서 발췌하였다 |
| 2020학년도 모의 논술 (인문계열) | 논란이 많은 중요한 주장에 대하여 여러 관련 정보를 활용해서 그 주장을 논리적으로 옹호하거나 반박하는 능력을 평가하고자 한다. 더불어, 그 옹호나 반박 과정에서 해당 명제의 의미를 명료화하는 능력을 알아보고자 한다. |
| | 우리나라 경제 환경에 나타나는 여러 가지 현실적인 특성을 사회과학적 조사에 의해 찾아내고 이를 분석하는 과정에 대한 이해와 그 숨은 의미를 이해하고 자 하여 제시한 문항이다. 따라서 학생들의 사회변화에 대한 이해력, 현상을 적절히 분석하는 분석력, 그리고 이를 적용할 수 있는 적용력 등을 종합적으로 평가하고자 한다. |
| | 사회·문화적인 맥락을 통해서 문학작품을 읽고 그 작품의 내용과 인물의 성격을 분석하는 능력을 측정하는 문항이다. 문학작품에 대한 독해력을 측정하기 위해 제시문을 통해 작품 수용의 방법에 대한 지 |

| | 침을 주고 그에 따라 작품을 해석하는 하도록 유도하여 논리적인 사고력을 평가한다. |
|---|---|

# III. 논술이란?

## 1. 논술이란?

### 1) 논술이란?

어떤 문제에 대해 자기 나름의 주장이나 견해를 내세운 다음, 여러 가지 근거를 제시하여 그 주장이나 견해가 옳음을 증명하는 글쓰기 활동을 말한다. 따라서 논술의 가장 기본적인 요소는 주장과 근거이다. 다시 말해 어떤 주제에 관해서 자신의 견해를 밝히고 자기 의견을 내세우는 글이 바로 논술이다. 때문에 논술은 특별히 논리적이어야 한다는 요구를 받게 된다. 왜냐하면 여러 가지 의견이 있을 수 있는 문제에 대해 자신의 의견을 세워 다른 사람을 설득하려면, 그 주장이 충분한 근거 위에서 논리적으로 개진될 때만 가능하기 때문이다.

### 2) 대한민국 논술고사는?

한국에서의 대학 입시 논술고사는 실제 교과 과정과 교과서가 기본이 되어 응용된 사고와 풀이 능력과 지식을 바탕으로 한다. 논술고사는 일반적을 비판적으로 글을 읽는 능력과 창의적으로 문제를 설정하고 해결하는 능력 그리고 논리적으로 서술하는 능력을 종합적으로 평가하는 시험이다. 비판적으로 글을 읽는다는 것은 능동적으로 자신의 관점에서 글을 읽는 것을 말하며, 창의적으로 문제를 설정하고 해결하는 능력이란 심층적이고 다각적으로 논제에 접근함으로써 독창적인 사고와 풀이를 이끌어낼 수 있는 능력을 말한다. 그리고 논리적 서술 능력은 글 구성 능력, 근거 설정 능력, 표현 능력 등을 포괄한다.

### 3) 인문계 논술? 그리고 그 변화

모든 글은 일반적으로 3가지 종류로 나뉘어진다. 시, 소설 등 문학 작품과 같은 글쓰기인 창작적 글쓰기(creative writing)와 설명문이나 해설문의 글쓰기는 해명적 글쓰기(expository writing), 그리고 논설문의 글쓰기인 비판적 글쓰기(critical writing)가 있다. 이 글쓰기 중 대한민국의 대학입시에서 시행되고 있는 인문계 논술은 창작적 글쓰기는 포함되지 않는다. 새로운 문학 작품을 쓰는게 아니라 제시문을 읽고 내용을 구체화시켜 잘 설명하는 설명문의 형태가 있고, 주어진 문제에 대해 생각하고 깊이있는 주장을 피력하는 비판적 글쓰기도 있다.

## 2. 논술의 기본 용어

1) 논제 : 논술의 문제를 의미한다.

반드시 해결하고 접근하여야 할 논술 시험의 대상이다.

      (4) 중심 논제 : 채점할 때 가장 배점이 높으며, 핵심적으로 해결해야 할 논술의 문제

      (5) 세부 논제 : 큰 논제 속에 포함된 작은 문제, 각 단계별 채점의 기준이 되며 세부 채점 항목으로 필수 해결 항목이다.

2) 논거 : 논술에서 설명하고 주장하는 논리적인 근거 혹은 이유

3) 주장 : 수험생이 생각하고 채점자에게 알리고 싶은 생각

4) 제시문 : 보기 지문을 말한다.

      (6) 출제자가 논제 해결을 위해 보여주는 다양한 글

      (7) 각종 그래프, 도표, 그림 등

      자료가 정해져 있지는 않다. 하지만 고등학교 교과서를 가장 많이 인용하고, 고등학교 교과 과정으로 분석하고 판단할 수 있는 내용을 제시한다.

5) 개요 : 논제에 맞게 더 구체적으로는 세부 논제에 맞게 글의 진행 방향을 간략하게 정리하는 과정이다.

## 3. 논술의 명령어

논술고사 후 대학의 발표 자료를 보면 논술은 출제자의 의도에 부합하게 글을 써야 한다고 강조한다. 그런데 출제자의 의도를 파악하는 것은 자칫 상당히 모호하고 주관적인 것으로 판단하기 쉽다.

하지만 인문계 논술에서는 명령어가 한정되어 있다. 그 명령어들을 잘 익히고 의미를 파악한다면 훨씬 논술의 이해가 높아질 것이다. 또한 대학의 채점 기준에는 명령어의 요구 조건을 충족하는지를 평가한다. 그러므로 인문계 논술의 명령어는 수험생에게는 아주 기초적이지만 필수적이며 절대 잊지 말아야 할 중요한 핵심이다.

### 1) ~ 에 대해 논술하시오.

  ; 주장을 밝히고 근거를 제시한다.

### 2) ~ 에 대해 설명하시오.

  : 사실, 주장 등을 쉽게 풀어서 밝힌다.

> ● ~ 제시문 간의 관련성을 설명하시오.
> ● ~ 제시문의 논리적 타당성과 문제점을 설명하시오.
> ● ~ 제시문을 참고하여 주어진 자료의 특징을 설명하시오.
> ● ~ 제시문의 관점에서 왜 그런 현상이 생기는지 그 이유를 설명하시오.

### 3) ~ 의 비교하시오. 혹은 대조하시오.

  : 공통점과 차이점을 중심으로 설명한다.

> ● ~ 공통점과 차이점을 설명하시오.

4) ~ 을 분석하시오.

: 주제를 구성요소로 나누고 각 부분의 의미와 상호관계를 밝힌다.

5) ~ 제시문과 주어진 자료를 참고하여 현상을 예측해 보시오.

: 주어진 자료를 해석하고 자료로부터 얻을 수 있는 시간에 따른 변화나 자료의 발생 이유를 살핀다.

6) ~ 제시문의 문제점을 지적하고 그 문제점을 해결할 방법을 제시하시오.

: 보통은 수학이나 과학의 역사에서 발생했던 여러 오류나 실험과정에서 나타난 문제점을 가지고 있다. 또한 이론이나 실험, 학생의 실험보고서 등과 같이 확실한 오류가 있는 제시문을 주기도 한다. 분명히 문제점을 파악하여 답안에 서술하고 문제점이나 해결할 수 있는 방법 등을 명확히 하여야 한다.

---

● ~ 제시문의 관점에서 왜 그런 현상이 생기는지 그 원리를 설명하고 그런 현상을 예방할 수 있는 방안을 제시하시오.
● ~ 문제점을 지적하고 합리적 대안을 제안해 보시오.
● ~ 주어진 관점을 검증할 수 있는 방법을 논하시오.
● ~ 주어진 문제점을 해결할 수 있는 실험을 설계해 보시오.

---

7) 제시문의 관점에서 주장을 비판하시오.

: 어떤 주장의 타당성이나 가치 등을 평가한다.

## 4. 인문계 논술 글쓰기 유의사항

① 논제의 해결이 핵심이다. 출제자가 원하는 답을 써야 한다.
② 논제에 부합하는 글을 일관성 있게 써야 한다.
③ 한편의 글을 완성하여야 한다. 나열하거나 사례를 보여주는 것은 의미가 없다.
④ 제시문을 활용, 인용하는 것과 제시문을 그대로 옮겨 쓰는 것은 다르다. 적절하게 제시문의 내용을 사용하여 논제를 해결하여야 한다. 절대 제시문의 문장을 그대로 쓰면 안 된다. 금기사항이고 감점요인이다.
⑤ 부적절한 문장 즉, 비문을 만들지 말아야 한다. 주어와 서술어가 적절하게 있어 문장의 의미를 명확히 전달하여야 한다. 주어를 생략하거나 지시어를 과도하게 사용하면 문장의 의미가 모호해 진다.
⑥ 문장은 짧고 간결하게 써야 한다. 자신의 의견을 명확히 간결하고 효과적으로 밝혀야 한다.

# 5. 논술 확인 사항

① 시간의 제한이 시험이다. 논술 시험은 자유롭게 글을 쓴다고 생각하고 주어진 시간을 체크하지 않는 경우가 정말 많다. 대학별로 요구하는 시간에 알맞게 답안을 구성해야 한다.

② 문단의 구성, 맞춤법, 띄어쓰기 등을 무시하면 절대 안 된다. 글쓰기의 기본은 의미의 전달 과정임으로 효율적인 연습과 준비가 되어 있어야 한다.

③ 습관적으로 물어보는 의문문, 같이 할 것을 제안하는 청유형은 사용하지 않는 것이 좋다. 문법의 오류가 아니라 격을 떨어뜨리고 글을 단조롭고 어색한 글 전개가 될 가능성이 높다.

④ 500자 미만이면 서론에 해당하는 도입과정은 과감히 생략하고 바로 논점으로 들어간다.

⑤ 한국어에는 수동태가 없다. 그러나 워낙 영어 번역하며 많이 사용하다 보니 논술 답안에도 수험생들이 자주 사용한다. 문법에 맞는 효과적인 표현이 필요하다. 학생이 수험생이 대학의 논술 고사에 응시하고 답안지에 논술 답안을 쓰는 것이다. 대학의 논술 답안지가 수험생으로부터 답안으로 쓰여지는 것이 아니다.

⑥ 많은 수험생들은 착각을 한다. 논술을 멋진 글쓰기라고 생각해 감상적이거나 비유적인 표현도 많이 사용한다. 그런데 오히려 이러한 표현은 채점자가 수험생의 사고능력 파악이 힘들어지고, 오히려 논제 해결을 했는지 판단하는데 혼동을 준다. 또한 일상에서 사용하는 구어체도 사용하면 안 된다. 논술은 글쓰기에서 쓰는 조금 딱딱한 문어체를 사용하는 것이다.

⑦ 아무리 강조해도 글씨의 중요성은 지나치지 않을 것이다. 채점하는 교수님들의 한결같은 큰 애로점은 이해할 수 없는 학생의 글씨라고 한다. 글씨체를 갑자기 바꿀 수 없지만 타인이 알 수 있게 규칙적으로 줄을 맞춰 쓰고, 분량에 맞는 큰 글씨로, 흘려 쓰지 않는 정자체로 답안을 작성하여야 한다.

# Ⅳ. 인문계 논술 실전

## 1. 각 대학별 논술 유의사항을 파악하라!

　　많은 대학에서 글자수 제한을 확인하여야 한다. 그래서 원고지 형이 많지만, 문항별 칸을 만들거나 밑줄 답안 형식도 있다. 논술 시험 시간은 각 대학별로 다양하다. 60분 즉, 한 시간을 시작으로 많게는 2시간까지 (120분)까지 다양하게 있다. 대학별로 준비해야 하는 중요한 이유이다. 답안을 작성하는 필기구도 다양하다. 연필(샤프펜)의 사용이 꾸준히 증가하지만 아직까지 검정색 볼펜이나 청색 볼펜으로 사용하는 학교도 많다. 주의할 것은 수정법이다. 수정은 학교에 따라 수정액, 수정테이프의 사용을 제한하는 경우도 있고 틀리면 두줄을 긋고 써야 하는 곳도 있다. 그러므로 각 대학별 특징을 파악하고, 미리 답안 작성 연습은 물론이고 작성할 때도 대학별로 금지하는 내용을 숙지하고 시험장에 가야 한다.

---

### 각 대학별 유의사항 사례

**사례 1)**

가. 답안은 한글로 작성하되, 글자수 제한은 없다.

나. 제목은 쓰지 말고 특별한 표시를 하지 말아야 한다.

다. 제시문 속의 문장을 그대로 쓰지 말아야 한다.

라. 반드시 본 대학교에서 지급한 필기구를 사용하여야 한다.

마. 수정할 부분이 있는 경우 수정도구를 사용하지 말고 원고지 교정법에 의하여 교정하여야 한다.

바. 본 대학교에서 지급한 필기구를 사용하지 않거나, 수정도구를 사용한 경우, 답안지에 특별한 표시를 한 경우, 또는 원고지의 일정분량 이상을 작성하지 않은 경우에는 감점 또는 0점 처리한다.


**사례 2)**

Ⅰ. 필요한 경우 한 개 또는 여러 개의 제시문을 선택하여 논의를 전개하고, 사용한 제시문은 꼭 참고문헌 형태로 표시하시오.

　　예) …[제시문 1-4].

　　예) …되며[제시문 2-4], …의 경우는 ~을 보여준다[제시문 2-1].

Ⅱ. [문제 1]부터 [문제 4]까지 문제 번호를 쓰고 순서대로 답하시오.

Ⅲ. 연필을 사용하지 말고, 흑색이나 청색 필기구를 사용하시오.

Ⅳ. 인적사항과 관련된 표현을 일절 쓰지 마시오.

Ⅴ. 문제당 배점은 동일함.


**사례 3)**

◇ 각 문제의 답안은 배부된 OMR 답안지에 표시된 문제지 번호에 맞춰 작성하시오.

◇ 각 문제마다 정해진 글자수(분량)는 띄어쓰기를 포함한 것이며, 정해진 분량에 미달하

---

거나 초과하면 감점 요인이 됩니다.
◇ 답안지의 수험번호는 반드시 컴퓨터용 수성 사인펜으로 표기하시오.
◇ 답안은 검정색 필기구로 작성하시오. (연필 사용 가능)
◇ 답안 수정시 원고지 교정법을 활용하시오. (수정 테이프 또는 연필지우개 사용 가능)
◇ 답안 내용 및 답안지 여백에는 성명, 수험번호 등 개인 신상과 관련된 어떤 내용, 불필요한 기표하면 감점 처리됩니다.


사례 4)
◆ 답안 작성 시 유의사항 ◆
□ 논술고사 시간은 90분이며, 답안의 자수 제한은 없습니다.
□ 1번 문항의 답은 답안지 1면에 작성해야 하고, 2번 문항의 답은 답안지 2면에 작성해야 합니다. 1, 2번을 바꾸어 작성하는 경우 모두 '0점 처리'됩니다.
□ 연습지는 별도로 제공하지 않습니다. 필요한 경우 문제지의 여백을 이용하시기 바랍니다.
□ 답안은 검정색 또는 파란색 펜으로만 작성하며 연필, 샤프는 사용할 수 없습니다.
□ 답안 수정은 수정할 부분에 두 줄로 긋거나 수정테이프(수정액은 사용 불가)를 사용해서 수정합니다.
□ 답안지에는 답 이외에 아무 표시도 해서는 안 됩니다.
□ 답안지 교체는 고사 시작 후 70분까지 가능하며, 그 이후는 교체가 불가합니다.

## 2. 제시문에 먼저 눈을 두지 말고 문제를 파악하라!!!

대학별 고사인 논술의 어려운 점은 시간의 제한이 있는 글쓰기 시험이라는 것이다. 자유롭게 잘 쓸 수 있는 내용일지라도 시간의 제한이 있으면 얘기가 달라진다. 특히 지금과 같이 각 대학별로 다양하게 등장하는 시험에 익숙하지 않은 수험생에게는 더 큰 부담으로 작용을 한다.

대학에서는 다양하게 제시문과 문제를 분포시킨다. 문제를 등장시키고 제시문이 등장하는 경우, 그림과 도표, 그래프 등과 같이 자료를 제시하고 제시문과 문제를 함께 등장시키는 경우, 제시문을 많이 등장시키고 마지막에 문제를 제시하는 경우 등... 이렇듯 다양한 문제에 시간의 적절한 활용은 대학별 고사의 실전에서는 당락을 결정하는 중요 요소이다.

이러한 실전적 논술에서 핵심은 바로 목적을 가지고 제시문의 읽기가 선행되어야 한다. 글 읽기의 핵심은 문제를 통해 논제를 구체적으로 파악하고 그 논제에 부합하게 제시문을 분석하는 것이다.

① 문제를 먼저 확인하라!! - 제시문을 읽고 문제를 보면 다시 긴 제시문을 또 읽어 시간을 낭비한다.

② 세부 논제 확인하라!! - 한 문제라도 그 문제 속에 다루는 논제는 여러 개가 될 수 있다. 그 질문 내용을 파악하라. 그리고 요구한 논제에 맞게 글을 구성한다.

③ 전제적 요건 파악하라!! - 각 문제의 전제적 요건 및 글로 표현된 부연 설명 등이 중요한 키워드가 될 수 있다.

# V. 동국대학교 기출

## 1. 2024학년도 동국대 수시 기출 (인문계열 Ⅰ)

※ 다음 제시문을 읽고 물음에 답하시오

[가] 동남아인 두 여인이 소곤거렸다/ 고향 가는 열차에서/ 나는 말소리에 귀 기울였다/ 각각 무릎에 앉아 잠든 아기 둘은/ 두 여인 닮았다/ 맞은편에 앉은 나는/ 짐짓 차창 밖 보는 척하며/ 한마디쯤 알아들어 보려고 했다/ 휙 지나가는 먼 산굽이/ 나무 우거진 비탈에/ 산그늘 깊었다/ 두 여인이 잠잠하기에/ 내가 슬쩍 곁눈질하니/ 머리 기대고 졸다가 언뜻 잠꼬대하는데/ 여전히 알아들을 수 없는 외국 말이었다/ 두 여인이 동남아 어느 나라 시골에서/ 우리나라 시골로 시집왔든 간에/ 내가 왜 공연히 호기심 가지는가/ 한참 자고 난 아기 둘이 칭얼거리자/ 두 여인이 깨어나 등 토닥거리며 달래었다/ 한국말로,/ 울지 말거레이/ 집에 다 와 간데이

(하종오, 「원어(原語)」)<br>『고등학교 국어』

[나] 자연은 인간에게 주는 유용성에 관계없이 그 자체로 존중받을 가치가 있다. (……) 인간은 자연으로부터 독립된 우월한 지배자가 아니라 자연의 한 구성원이며, 자연 안의 모든 생명은 평등한 가치와 권리를 지닌다. 따라서 인간뿐만 아니라 동물, 식물, 그리고 무생물을 포함한 생태계 전체를 도덕적으로 대우해야 한다고 본다. (……) 대지의 윤리는 생태계 전체를 하나의 유기체로 보고 공동체의 범위를 인간에서 동물, 식물, 토양, 물을 포함한 대지까지 모두 포괄하는 것으로 확대하려는 입장이다. 이에 따르면, 대지는 경제적 가치로만 평가될 수 없으며 무생물과 식물, 곤충, 각종 동물 등이 유기적으로 연결되어 균형을 이루어 살아가는 생명공동체이다.

『고등학교 통합사회』

[다] 모든 인간은 존엄하며, 타인이나 사회의 억압과 구속에서 벗어나 자신이 원하는 삶을 살 수 있는 자유와 권리가 있다. (……) 개인이 사회에 우선하고, 사회는 자유롭고 독립적인 개인들의 합에 지나지 않는다. 그렇지만 (……) 개인이 자유를 누리기 위해서는 타인의 자유도 존중해야 한다고 본다는 점에서, 타인의 자유를 침해하면서까지 자기의 이익만을 추구하는 극단적인 이기주의와는 구별된다. (……) 타인의 자유를 침해하지 않는 한, 사회나 국가는 개인이 자신의 신념과 입장에 따라 삶을 스스로 계획하고 살아갈 수 있도록 중립적 입장에서 개인의 자유로운 선택권과 자율성을 최대한 허용하고, 특정한 가치나 삶의 방식 등을 강제해서는 안 된다.

『고등학교 통합사회』

[라] 동양에서 바라본 세계는 모든 존재가 상호 의존적으로 살아가는 하나의 유기체이다. 이러한 관점을 바탕으로 불교는 모든 존재가 상호 의존 관계에 있다

는 것을 강조하였으며, 유교는 자연 세계의 원리를 인간 도덕규범의 원천으로 파악하였다. (……) 유기체적 세계관을 바탕으로 동양 윤리 사상에서는 인간을 타인, 더 나아가서는 만물과 더불어 살아가는 존재로 보고 공존과 공생의 사회관을 제시하였다. 유교는 개인의 도덕적 수양을 바탕으로 사회적 실천을 강조한 '수기이안인(修己以安人)'을 강조하였다. 불교는 모든 존재와 생명은 서로 연결되어 있다는 생각으로 자비를 추구하였고, 이를 바탕으로 사회적 차별을 넘어 모든 중생의 구제를 염원하였다.

*수기이안인(修己以安人) 수신과 수양을 바탕으로 다른 사람을 편안하게 한다는 뜻이다.

『고등학교 윤리와 사상』

[문제 1] 제시문 [나], [다], [라]의 관점을 활용하여 제시문 [가]의 시를 해석하시오.
<300~400자> [30점]

※ 다음 제시문을 읽고 물음에 답하시오.

[가] 사람마다 가지고 있는 정보가 서로 다를 때 정보의 비대칭성이 있다고 한다. 예를 들어 근로자는 고용주보다 자신의 근무 태도를 더 잘 알고 있으며, 중고차 판매상은 고객보다 차의 성능을 더 잘 알고 있다. 정보를 더 많이 가진 근로자는 자신의 행동을 감출 유인이 있고, 중고차 판매상은 차의 속성을 감출 유인이 있다. 이러한 정보의 비대칭성 때문에 도덕적 해이 문제가 발생한다. 도덕적 해이는 정보를 더 많이 가진 사람이 사회적으로 바람직하지 못한 행위를 하는 경향을 말한다. 고용주와 근로자의 관계에서는 고용주가 근로자의 행동을 완벽하게 관찰하지 못하기 때문에 근로자가 게으름을 피우는 도덕적 해이의 문제가 나타난다. 이러한 문제는 보험 시장에서도 많이 발생한다.

『고등학교 경제』

[나] 금융회사가 영업 정지나 파산 등으로 고객의 예금을 지급하지 못하면 해당 예금자의 가계 생활이 불안정해지고 국가 금융 제도 안전성도 큰 타격을 입는다. 이러한 사태를 방지하기 위해 우리나라에서는 '예금자 보험 제도'를 실행한다. 이는 예금 보험 공사가 평소에 금융 기관으로부터 보험료를 받아 기금을 적립한 후, 금융 기관이 예금을 지급할 수 없게 되면 일정 금액의 한도 내에서 예금 보험금을 지급하는 제도이다. (……) 1997년 외환 위기로 여러 은행이 문을 닫으면서 금융 시장의 불안감이 커졌다. 정부는 금융 시장의 혼란을 막기 위해 예금자 1인당 2천만 원이던 종전의 보장 한도를 높여 2000년 말까지 한시적으로 예금의 원금 전액을 보장해주기로 하였다. 원래 예금자 보호제도가 다수의 소액 예금자를 보호하되 부실 금융 기관을 선택한 예금자에게도 책임을 묻는다는 차원에서 예금 전액이 아니라 일정 금액만을 보장하는 것이 원칙인데 이를 깬 것이다. 외환 위기에서 벗어난 2001년부터는 1인당 5천만 원으로 보장 한도를 올렸는데 이후 저축은행 부실 사태가 발생하면서 저축은행의 보장 한도를 낮추어야 한다는 주장이 제기되기도 하였다. 보장 한도가 높으면 금융기관이 예금자 보호 제도에만 의존해 무분별하게 예금을 늘려 부실하게 운용할 수도 있다는 지적 때문이다.

『고등학교 경제』

[다] 정보의 비대칭성 때문에 나타나는 문제를 해결하려고 다양한 제도를 도입한다. 정보를 더 가진 사람이 정보를 덜 가진 사람에게 신호 보내기를 통해 사적 정보를 전달하도록 유도할 수 있다. 예를 들어 중고차 판매상이 일정 기간 수리를 보증하는 제도를 도입하는 것은 차의 품질을 보증하는 신호로 작동한다. 또한 정보를 덜 가진 사람은 정보를 더 가진 사람에게 골라내기를 통해 사적 정보를 공개하도록 유도할 수 있다. 그 예로 중고차를 구입하려는 사람이 중고차 판매상에게 품질 검사서를 요구하거나 건강 보험 회사가 가입자들에게 건강 진단서를 요구하는 제도를 들 수 있다.

『고등학교 경제』

[라] 정보의 비대칭성 해소를 위한 기업의 노력으로 보험 회사가 보험에 가입하고
자 하는 사람에게 신체검사서를 요구하거나 가입자의 과거 병력을 조회하는
것, 자동차 보험 회사가 과거의 교통사고 통계를 근거로 보험료를 차등 적용
하는 것 등을 예로 들 수 있다.

『고등학교 경제』

[문제 2] '예금자 보험 제도'에서 보험 가입자인 금융 기관의 도덕적 해이가 발생할 수
있는 이유를 제시문 [가]에서 찾아 설명하고, 금융기관의 도덕적 해이 사례를 [나]를 바
탕으로 기술하시오. 그리고 이에 대한 구체적인 해결방안을 제시문 [다]와 [라]를 참조하
여 제시하시오.

<300~400자> [30점]

## ※ 다음 제시문을 읽고 물음에 답하시오.

[가] 갈퉁(J. Galtung)은 폭력을 인간의 기본적인 욕구를 모독하는 모든 것으로 정의하면서 물리적·직접적 폭력 외에 구조적 폭력, 문화적 폭력이 존재함을 지적하고, 평화를 소극적 평화와 적극적 평화로 구분한다.

소극적 평화란 전쟁, 테러, 범죄와 같은 물리적 폭력이 없는 상태이다. 이는 직접적으로 폭력을 제거한다는 점에서 의미가 있으나, 빈곤이나 인권 침해 같은 다양한 차원의 폭력을 고려하지 않는다는 한계가 있다. 따라서 갈퉁은 물리적 폭력뿐만 아니라 구조적 폭력과 문화적 폭력까지 사라진 상태인 적극적 평화를 추구해야 한다고 본다. 이는 가난, 차별, 억압, 환경파괴 등이 제거되어 사람들 간의 협력과 조화, 그리고 정의가 실현된 상태를 의미한다.

『고등학교 윤리와 사상』

[나] (앞부분 줄거리-'나'의 가족은 아빠의 직장 때문에 독일에서 살게 된다. 어느 날 아빠의 직장 동료이자 이웃인 베트남인 호아저씨와 응웬 아줌마 가족의 저녁 식사 초대를 받게 되고 그 이후로 두 가족은 자주 왕래하며 친분을 쌓아 간다. '나' 역시 두 사람의 아들 '투이'와 친구가 된다. 어느 날 학교에서 2차 대전에 대해 배우던 시간에 투이는 2차 대전 이후로 이처럼 대규모의 살상이 일어난 전쟁은 없었다는 선생님의 말에 '아닌데요'라고 말하며, 베트남 전쟁에서 많은 사람이 죽었고 자신의 할아버지, 할머니, 고모, 이모, 삼촌이 다 죽었다고 말한다. 선생님은 베트남 전쟁에 대해 학생들이 들어본 적이 없을 거라고 말하며, 투이에게 베트남전쟁에 대해서 말해 달라고 한다. 하지만, 투이는 무슨 말을 하려다가 결국 입을 다물고 만다. 결국, 반장 '잉가'가 베트남전에 대해 말하고 선생님은 반장을 칭찬하면서 베트남전은 미국의 실책이었고 미국으로서는 아무런 득도 보지 못한 전쟁이었다고 설명한다. '나'는 '투이'가 말하고 싶었던 것은 그런 게 아니라고, 그 애를 앞에 두고 그런 식의 설명을 하는 건 가슴 아픈 일이라고 말하고 싶었지만 입을 열지 못한다. '나'는 등을 구부리고 앉아 있는 '투이'의 뒷모습을 보며 그 애가 교실에 있었지만 그 순간만큼은 그곳에 없는 사람으로 취급된 것처럼 느끼며, 독일 애들에게 분노마저 느낀다. 그날 저녁 두 가족이 투이 네 집에서 저녁을 먹던 중 일본의 식민 통치에 대한 이야기가 나왔을 때, '나'는 어른들의 관심을 받고 싶어서, "한국은 다른 나라를 침략한 적 없어요."라고 말하지만, 어른들은 못 들은 척할 뿐 아니라 심지어 아빠는 한국어로 '나'를 야단친다. 나는 그런 식으로 야단맞은 것이 부끄럽고 억울해서 독일어로 "한국에서 그렇게 배웠는데. 우린 아무에게도 잘못한게 없다고. 우린 당하기만 했다고, 선생님이 그렇게 말했는데……"라고 한다. 그때 투이가 "한국 군인들이 죽였다고 했어"라고 말하면서 식탁의 분위기는 얼어 버린다. 응웬 아줌마는 투이에게 함부로 말하지 말라고 야단을 치고 내가 어린 마음에 상처를 입었을까 걱정하는 눈빛으로 "넌 신경 쓸 것 없어. 너와는 관계없는 일이야"라고 말한다. 하지만 그 말은 오히려 투이의 말이 사실이라는 것을 나에게 확인시켜 준다.)
"저는 정말 몰랐어요." 엄마가 말했다. "응웬 씨가 겪었던 일, 저는 아무 것도 모르지만 그래도 죄송하다고 말씀드리고 싶어요. 죄송합니다." 엄마는 호아저씨와 응웬 아줌마에게 고개 숙였다.

"저는 모든 걸 제 눈으로 봤답니다. 투이 나이 때였죠." 그렇게 말하고 호 아저씨는 붉어진 눈시울로 애써 웃었다. "하지만 그렇게 말씀해 주셔서 감사합니다." 호 아저씨는 거기까지 말하고 힘껏 웃어 보였다. 응웬 아줌마는 호 아저씨에게 베트남어로 속삭이듯이 이야기했다. 알아들을 수 없었지만 분명 마음을 다독이는 말이었을 것이다. 그 말의 진동이 내 마음까지 위로하는 것 같았으니까.

아빠는 엄마와 호아저씨의 대화를 못 들은 것처럼 맥주만 마시고 있었다.
"당신도 무슨 말 좀 해 봐." 엄마가 한국어로 아빠에게 말했다.
"내가 무슨 얘길 해? 그럼, 우리가 잘못했다고 말해야 돼? 왜 당신이 나서서 미안하다고 말해? 당신이 뭔데?" 아빠가 한국어로 받아쳤다.
"당신은 항상 이런 식이야. 죽어도 미안하다는 말을 못 해. 안 해. 그게 그렇게 어려운 일이야? 내가 응웬 씨였으면 처음부터 우리 가족 만나 지도 않았을 거야."
아빠는 식탁 의자에 걸친 카디건에 팔을 넣었다. "저녁 잘 먹었습니다." 아빠는 잠시 망설이다가 입을 열었다. "저희 형도 그 전쟁에서 죽었습니다. 그때 형 나이 스물이었죠. 용병일 뿐이었어요." 아빠는 누구의 눈도 마주치지 않으려는 듯 바닥을 보면서 말했다.
"그들은 아기와 노인들을 죽였어요." 응웬 아줌마가 말했다.
(생략)
"전쟁이었습니다."
"전쟁요? 그건 그저 구역질나는 학살일 뿐이었어요." 응웬 아줌마가 말했다. 어떤 감정도 담기지 않은 사무적인 말투였다.
"그래서 제가 무슨 말을 하길 바라시는 겁니까? 저도 형을 잃었다고요. 이미 끝난 일 아닙니까? 잘못했다고 빌고 또 빌어야 하는 일이라고 생각하세요?"
"당신 제정신이야?" 엄마가 말했다.
응웬 아줌마는 자리에서 일어나 천천히 서재로 걸어 들어갔다. 조심히 닫히던 문소리. 나는 겁에 질렸지만 차마 서재로 따라 들어가지는 못했다. 엄마는 동생을 안고 자리에서 일어났다. "정말 죄송합니다." 엄마는 호 아저씨에게 고개를 숙였다. "투이야. 미안하다." 엄마는 그 말을 하고 밖으로 나갔다. 나는 기저귀 가방과 카디건을 들고 엄마를 따라 나갔다.
(생략)
어차피 당신들은 이해하지 못할 테니까, 라는 마음이 그날 밤, 아줌마와 우리 사이를 안전하게 갈라놓았다. 그건 서로를 미워하고 싶지도, 서로로 인해 더는 다치고 싶지도 않은 어른들의 평범한 선택이었다.

(뒷부분 줄거리-엄마는 투이네 가족과 관계 회복을 위해 노력하지만, 한 번 뒤틀린 관계는 바로잡을 수 없었다. '나'의 가족은 한국으로 돌아왔고, 이후 엄 마는 누구와도 깊은 관계를 맺지 않은 채 쓸쓸한 죽음을 맞이한다. 엄마가 돌아가신 다음 해, 엄마와 꼭 닮은 서른 셋의 '나'는 독일에 가서 응웬 아줌마를 만나 '신 짜오, 씬짜오★' 인사를 나눈다.) ★신짜오: 베트남어로 '안녕'이라는 뜻.
(최은영, 「신짜오, 신짜오」)

[다] (앞부분 줄거리-아내는 겉보기에는 평범한 가정주부다. 아내는 피가 뚝뚝 흐르는 생고기를 먹는 끔찍한 꿈을 꾸게 되면서 고기를 아주 멀리하게 된다. '나'는 이런 아내가 못마땅하지만 어쩔수 없다고 받아들인다. 어느 날 '나'와 아내는 회사 임원들의 부부동반 모임에 나간다. 사교적인 대화에 전혀 참가하지 않은 채 멍하니 앉아 있던 아내 앞에 쇠고기를 버무린 탕평채가 나오자 아내는 작은 목소리로 "저는 안 먹을게요."라고 말한다. 아주 작은 목소리였지만 사람들의 시선을 끌게 되자 아내는 좀더 큰 소리로 "저는, 고기를 안 먹어요."라고 말한다. 결국, "그러니까, 채식주의자시군요?"라는 사장의 말과 함께 화제는 자연스럽게 채식주의로 흘러간다. 고기를 안 먹고 살 수 있느냐, 골고루 먹는 게 건강에 최선이다. 시싱체질과 같은 채식을 눌러싼 여러 이야기가 화제로 오가던 중, 채식의 이유를 묻는 질문에 아내가 꿈 이야기를 하려는 것을 끊고 '나'는 건강상의 이유라고 사람들에게 말한다.)

"다행이네요. 저는 아직 진짜 채식주의자와 함께 밥을 먹어 본 적이 없어요. 내가 고기를 먹는 모습을 징그럽게 생각할지도 모를 사람과 밥을 먹는다면 얼마나 끔찍할까. 정신적인 이유로 채식을 한다는 건, 어찌 됐든 육식을 혐오한다는거 아녜요? 안 그래요?"

"꿈틀거리는 세발낙지를 맛있게 젓가락에 말아먹고 있는데, 앞에 있는 여자가 짐승 보듯 노려보고 있는 것과 비슷한 기분이겠죠."

좌중이 웃음을 터뜨렸다. 따라 웃으며 나는 의식하고 있었다. 아내가 함께 웃지 않는다는 것을. 허공을 오가는 어떤 대화에도 귀를 기울이지 않은 채, 사람들의 입술에 번들거리는 탕평채의 참기름을 지켜보고 있다는 것을. 그것이 모두의 마음을 불편하게 하고 있다는 것을.

(생략)

생전 전화하는 법 없던 장인까지 아내에게 호통을 쳤다. 흥분한 고함 소리가 수화기 밖으로 새어 나와 나에게도 들렸다.

"뭐하는 짓이냐, 너는 그렇다 치고 한창 나이에 정 서방은 어쩌란 말이냐?"

아내는 "예."라고도 "아니요."라고도 하지 않은 채 묵묵히 수화기를 귀에 대고 있었다.

"왜 대답이 없어. 듣고 있는 거냐?"

부엌의 국 냄비가 끓었으므로 아내는 말없이 수화기를 테이블에 내려놓고 부엌으로 갔다. 가서 돌아오지 않았다. 상대 없이 애처롭게 고함치고 있는 장인을 위해 나는 수화기를 집어 들었다.

"죄송합니다, 장인어른."

"아니야, 내가 면목이 없네."

가부장적인 장인은 지난 오년간 들어 본 적이 없는 사과 조의 말로 나를 놀라게 했다. 배려의 말 따위는 그에게 어울리지 않았다. 월남전에 참전해 무공훈장까지 받은 것을 큰 자랑으로 여기는 그는 목소리가 크고, 그 목소리만큼 대가 센 사람이었다. 내가 월남에서 베트콩 일곱을……하고 시작되는 레퍼토리를 사위인 나도 두어 번 들은 적이 있다. 아내는 그 아버지에게 열여덟 살까지 종아리를 맞으며 자랐다고 했다.

(뒷부분 줄거리-처형네에서 장인은 아내에게 육식을 강요하지만 그녀는 끝내 거부하다가 자기 몸을 다치게 한다. 이 사건으로 병원에 입원한 아내에게 장 모는 고기를 먹이려고 시도한다. 한 약 한 모금을 마시고 먹은 것을 모두 토한 그녀는 '나'가 잠든 사이 병원 앞 벤치에서 새를 쥔 채 발견된다.)

(한강, 「채식주의자」)

『고등학교 문학』

[라] 요나스(H. Jonas)는 책임의 개념을 두 가지의 의미로 구분한다. 하나는 인간이 이미 행위한 것에 대한 책임이며, 다른 하나는 인간이 지속적으로 행위되어야 할 것에 관한 책임이다. 요나스가 강조한 것은 행위되어야 할 것에 관한 책임이다. 왜냐하면 인간은 과학 기술의 발달로 자연을 통째로 파괴할 수 있는 힘을 가지게 되었기 때문이다. 즉, 자연과 미래세대의 존속이 현 세대의 행위에 의존하고 있으므로, 현 세대는 인류의 존속을 위해 자연환경이 수용할 수 있고 미래 세대가 존속할 수 있는 범위에서 행위해야 할 책임이 있다는 것이다. 이것은 마치 부모가 신생아에게 가지는 책임처럼 총체적이고 연속적이며 미래지향적인 책임이다.

『고등학교 생활과 윤리』

[문제 3] 제시문 [나]와 [다]를 읽고 소설 속의 인물들 사이에 '갈등'이 발생하는 이유를 제시하고, 이 두 소설에 나타난 '폭력'의 양상을 [가]의 주장을 통해 각각 설명하시오. 그리고 제시문 [라]를 읽고 그러한 폭력에 대한 '윤리적 책임'의 문제가 [나]와 [다]의 인물 간 '갈등'과 어떤 관련이 있는지 논술하시오.

<550~700자> [40점]

# 2. 2024학년도 동국대 수시 기출 (인문계열 Ⅱ)

※ 다음 제시문을 읽고 물음에 답하시오.

[가] 지속 가능한 사회란 미래 세대가 자신들의 필요를 충족시키기 위해 갖춰야 할 여건을 저해하지 않으면서, 현재 세대가 필요로 하는 다양한 욕구를 충족시키는 사회이다. 환경 문제, 자원 문제, 전쟁과 테러 등의 전 지구적 수준의 문제들은 인류의 생존과 지구라는 공동체의 존속을 위협하는 요인들이며, 인류는 이러한 문제들에 대해 효과적이고 체계적으로 대응해야 지속 가능한 사회를 실현할 수 있다. 최근에는 개발의 필요성을 인정하면서도 지속 가능한 사회의 실현이라는 목표를 함께 고려하는 입장에서 지속 가능한 발전의 필요성이 주장되기도 한다.

『고등학교 사회·문화』

[나] 기후변화란 자연적 원인과 인위적 원인에 의해 기후가 변화하는 것이다. 기후는 태양 복사 에너지의 변화, 대기 구성의 변화, 지표면 상태의 변화에 따라 달라져 왔다. 그러나 산업이 발달하고 인구가 증가함에 따라 화석 연료의 사용이 급증하면서 이산화 탄소, 메테인 등 온실가스의 배출량이 크게 증가하였다. 이로 인해 지구의 평균 기온이 상승하는 지구 온난화가 진행되고 있다. 이산화 탄소를 흡수하는 역할을 하는 삼림의 파괴 또한 지구 온난화를 부채질하고 있다.

『고등학교 세계지리』

[다] 국제 사회는 국제법과 국제기구 등을 통해 협력을 제도화하고, 세계 각국이 협력할 수 있는 공조 체제를 구축하여야 한다. 지속 가능한 사회란 현 세대의 필요를 충족함에 있어 미래 세대의 필요를 충족시킬 수 있는 범위를 고려하여 발전을 추구하는 사회를 말한다. 자본주의적 경제 논리만을 앞세워 경제적 효율성을 최우선 가치로 삼는다면 전 지구적 수준의 문제를 해결하기 위한 국제적 공조에 참여하기 어렵다. 국가적 이익을 앞세우기 전에 세계를 하나의 공동체로 인식하고 전 지구적 수준의 문제 해결에 적극적으로 협조하기 위한 노력이 매우 중요하다.

파리 기후변화협약은 2020년에 만료되는 교토 의정서를 대체할 새로운 국제 기후 변화 방지 대책이다. 산업화 이전 수준 대비 지구 평균 온도가 2℃ 이상 상승하지 않도록 온실가스 배출량을 단계적으로 감축하는 내용을 담고 있다. 따라서 기후 변화 협약이 발효되면서 총회에 참석한 195개 국가는 2100년까지 5년마다 자발적 감축 목표를 설정하는 등 적극적 대응에 나서고 있다. 특히 2021년 이후에는 전 세계가 본격적으로 배출권 거래제에 참여할 것으로 예상된다. 배출권 거래제는 온실가스 감축 계획에 적극적으로 동참하기 위해 산업별로 탄소 배출권을 할당하고, 할당량이 부족한 기업은 다른 기업에서 배출권을 사서 쓸 수 있도록 도입한 시장 제도이다.

-『고등학교 정치와 법』

[라] 그린피스, 지구의 벗 등의 비정부기구(NGO)는 환경 문제의 심각성을 알리고 관심을 촉구하는 등 다양한 활동을 벌이고 있다. 그린피스는 지구의 환경을 보존하고 세계의 평화를 유지하기 위한 다양한 활동을 펼치고 있는 대표적인 비정부 기구이다. 또한 비정부 기구는 정부의 환경 정책을 견제하는 역할도 하고 있다. 이 밖에 지방 자치 단체, 시민 단체, 소수 인종, 국제적 영향력이 있는 개인 등도 국제 관계에서 중요한 역할을 하고 있다.

–『고등학교 세계지리』

[마] 얼마 전 화장실에서 손을 씻고 휴지로 물기를 닦다가 휴지 보관함 위에 붙어 있는 공익 광고를 보았다. 거기에 쓰인 "한 번을 쓰기 위해 50년을 키웠습니까?"라는 문구를 보고 순간 뜨끔했다. 휴지를 마구 쓰는 나에게 하는 말 같았다.

평소에 나는 화장실에서 손을 씻은 다음 아무 생각 없이 휴지나 손 건조기를 써 왔다. 다른 사람들도 대부분 손의 물기를 닦을 때 휴지나 손건조기를 사용한다. 그런데 이렇게 휴지나 손 건조기를 계속 사용하는 것, 과연 괜찮을까? 많은 사람이 한 번 쓰고 버리는 휴지, 전기를 사용해야 하는 손 건조기를 대체할 방법은 없을까? 나는 우리가 할 수 있는 작은 실천 방안으로 손수건 사용을 제안하고자 한다. (……)

손수건을 사용하면 이처럼 자원을 절약할 수 있을 뿐만 아니라 우리의 건강에도 도움이 된다. 물론 휴지나 손 건조기를 사용하던 지금까지의 습관을 당장 바꾸기는 쉽지 않을 것이다. 그러나 "천 리 길도 한 걸음부터."라는 우리 속담이 있지 않은가? 손수건 가지고 다니기, 친구에게 손수건 선물하기 등이 실천의 첫걸음이 될 수 있을 것이다. 그리고 우리의 이러한 작은 실천은 갈수록 나빠지는 지구 환경 을 되살리는 데에도 이바지할 것이다.

『고등학교 국어』

[문제 1] 제시문 [가]를 통해 [나]에 나타난 문제의 해결이 필요한 이유를 설명하고, [다], [라], [마]에 근거하여 [나]에 나타난 문제의 해결 방안을 기술하시오.

<300~400자> [30점]

※ 다음 제시문을 읽고 물음에 답하시오.

[가] 공자의 핵심 사상을 한마디로 요약하면 인(仁)이라 할 수 있다. 인이란 사람을 사랑함[仁者愛人也]과 사람다움[仁者人也], 즉 타인을 사랑하는 정신이자 사회적으로 완성된 인격체의 인간다움을 의미한다. 공자는 인을 실천하는 덕목으로서 효(孝), 제(悌), 충(忠), 신(信) 등을 제시하였으며, 특히 효와 제를 인을 실천하는 근본으로 보고 매우 중시하였다.
그래서 효제(孝悌)를 기본적인 덕목으로 제시하고, 이를 타인과 사회적 관계로 확장할 때 비로소 사회의 질서도 바로잡을 수 있다고 하였다. 또 인을 실천하는 구체적인 방법으로 충서(忠恕)의 덕목을 제시하였다. '충'은 조금의 속임이나 허식 없이 자신의 마음을 성실하게 하는 것이고, '서'는 자신을 미루어 다른 사람의 마음을 헤아리는 것[推己及人]이다.
-『고등학교 윤리와 사상』

[나] 유교에서는 인(仁)의 윤리를 바탕으로 모든 사람이 더불어 잘 사는 대동 사회(大同社會)를 이상 사회로 제시했고, (……) 이러한 사회를 이룩하기 위해서 동양 윤리 사상에서는 개인의 인격 도야를 특히 강조하였다. 유교의 윤리 사상에서는 '수신·제가·치국·평천하'라고 하여, 좋은 세상을 만들려면 먼저 자기 수양을 해야 한다고 보았다. 공자는 이와 같이 자기를 수양해 나감과 동시에 타인을 사랑하는[修己安人]삶을 사는 이상적 인간을 군자(君子)라고 하였다.
이와 같이 유교의 윤리 사상은 인격 완성을 중시하고, 가족 관계를 중심으로 다양한 인간관계에서 지향해야 할 도덕규범을 제시함으로써 개인 간의 도덕적 관계를 유지하게 하였으며, 이를 바탕으로 사회를 안정시키는 데 기여하였다.
『고등학교 윤리와 사상』

[다] 개인이 도덕적인 삶을 영위하기 위해서는 공정한 사회 제도나 구조가 필수적이다. 개인의 도덕성에 초점을 두더라도 사회 제도가 구성원을 보호하지 못하거나 공정하지 못한 사회 구조 속에서 각 개인은 행복한 삶을 영위할 수 없다. 이와 반대로 공정한 사회 제도가 마련되어 있다고 할지라도, 사회 구성원인 개인들이 이를 따르지 않는다면 이러한 제도는 행복한 삶을 위해 작동하지 않는다. 즉, 개인의 도덕성과 함께 공정한 제도가 마련되어야 인간의 행복한 삶을 보장할 수 있다는 것이다.
『고등학교 윤리와 사상』

[라] 사회는 권리, 의무, 소득, 기회, 명예, 직위 등과 같이 한정된 재화를 놓고 벌이는 구성원 간의 이해 갈등을 공정하게 중재할 수 있어야 한다. 또한 구성원 각자가 자신의 몫을 정당하게 누릴 수 있도록 공정한 원칙과 기준을 적용함으로써 정의로운 사회로 나아갈 수 있다. 근로자는 응당하게 받아야 할 임금, 학생은 응당하게 받아야 할 점수, 범죄자는 응당하게 받아야 할 처벌을 받는 등 구성원 각자가 '응분의 몫'★을 받을 때 사회 정의가 실현될 수 있다. (……) 사회가 공정한 절차에 따라 운영되고, 구성원 각자에게 (……) 법 앞의 평등이 실현될 때

기본권이 보장되고, 삶의 질이 향상되며, 구성원 간 신뢰와 협력관계가 구축될 수 있다.

*  응분의 몫: 마땅히 돌아가야 할 몫.

-『고등학교 생활과 윤리』

[마] 초나라 섭공이 공자에게 말하기를 "우리 고을에 정직한 사람이 있는데, 자기 아버지가 양을 훔치자 아들이 그것을 고발하였습니다."라고 하자, 공자는 "우리 고을의 정직한 사람은 이와 다릅니다. 아버지가 아들을 위해 숨겨주고, 아들은 아버지를 위해 숨겨 주는데, 그 가운데 정직함이 있습니다."라고 하였다.

(『논어』)

제자인 동응이 물었다. "순임금이 천자였을 때 고요가 사법을 담당하는 관리로 있었는데, 만약 순의 아버지인 고수가 살인을 했다면 어떻게 했을까요?" (……) 맹자가 대답하였다. "순임금은 천하를 헌신짝처럼 버리고, 몰래 아버지를 등에 업고 도망쳐 바닷가에 살면서 죽을 때까지 즐거워하면서 천하를 잊었을 것이다."

(『맹자』)

『고등학교 윤리와 사상』

[문제 2] 제시문 [가]와 [나]에 나타난 유교의 윤리사상을 통해 [마]에서 언급한 공자와 맹자 주장의 근거를 설명하고, [다]와 [라]에 제시된 현대적 관점에 근거하여 [마]에서 언급한 공자와 맹자 주장을 비판하시오. <300~400자> [30점]

## ※ 다음 제시문을 읽고 물음에 답하시오.

[가] 시민의 자유가 모든 권리의 바탕이 된다. 이때 시민의 자유는 외부의 간섭을 받지 않고 스스로 하고 싶은 일을 선택하여 실행할 수 있는 자유로, 불간섭으로서의 자유라고 부른다. 이러한 자유의 바탕에는 개인은 이성에 따라서 스스로 규범을 세우고 지켜나갈 수 있다는 믿음이 깔려 있다. (……) 개인은 타인에게 간섭받지 않을 자유를 누릴 권리가 있으며, 동시에 타인의 자유를 침해하지 말아야 한다는 의무를 지닌다.

『고등학교 윤리와 사상』

[나] 나는 이 도시 혹은 저 도시의 시민이며, 이 조합 혹은 저 조합의 구성원이다. 또한, 나는 이 씨족, 저 부족, 이 민족에 속해 있다. 그러므로 나에게 좋은 것은 공동체에서 역할을 담당하는 누구에게나 좋은 것이어야 한다. 이처럼 나는 내 가족, 도시, 부족, 민족으로부터 다양한 부담과 유산, 정당한 기대와 책무를 물려받았다. 그것들은 나의 삶과 도덕의 출발점을 구성한다.

『고등학교 통합사회]

[다] 어떤 사람이 다른 사람에게 피해를 주지 않고 정당하게 소유물을 취득하거나 양도받았다면, 그 사람은 그 소유물에 대한 권리를 가져야 합니다. 그 결과로 빈부 격차가 생기는 것은 문제가 되지 않습니다. 개인의 소유물을 어떻게 사용할 것인가는 개인의 자유로운 선택에 맡겨야 합니다. 단, 소유물의 취득과 양도과정에 부정의가 있었다면 교정해야겠지요.

『고등학교 통합사회』

[라] 인간 사회는 분배 공동체라고 볼 수 있습니다. 저는 분배적 정의와 관련된 모든 가치는 사회적 가치라고 봅니다. 사회적 가치는 각 공동체의 역사적이고 문화적인 소산으로, 공동체 안에는 고유한 사회적 가치들이 존재합니다. 모든 사회에서 동일하게 중요하다고 인정되는 가치는 없으므로, 가치를 분배할 때는 공동체의 문화적 특수성과 차이를 고려해야 합니다.

『고등학교 통합사회』

[마] 드디어 드레퓌스가 군사 법정에 섰습니다. 재판은 완전 비공개로 진행되었습니다. 적에게 국경을 열어 독일 황제를 노트르담 성당까지 안내한 반역자라도 이보다 더 쉬쉬하며 재판을 하지는 않았을 것입니다. 국민들은 대경실색한 채 온갖 풍문이 떠도는 이 무시무시한 배신행위에 대해 수군거렸습니다. 물론 그들은 국가의 조치를 존중했습니다. 그들은 그 어떤 가혹한 형벌도 충분치 않다고 생각했습니다. 그들은 죄인에 대한 공개 군적 박탈식*에 갈채를 보냈고, 죄인이 회한을 씹으며 오욕의 바위에 영원히 묶여 있기를 바랐습니다. 그런데 저 비밀의 방에서 조심조심 묻어야만 했던 그 말할 수 없는 것들, 전 유럽을 화염에 휩싸이게 할 수도 있다던 그 위험한 것들은 과연 진실이었을까요? 아닙니다! 그 방에는 오직 뒤파티 드클랑 소령의 기괴하고도 광기 어린 상상력만이 있었습니다. 기상천외한 삼류 소설로 만들기 위해 그는 모든 것을 날조했습니다. *군사 법정

에서 낭독된 기소장*을 주의 깊게 살펴보면 이 사실은 금방 드러납니다. (……) 대통령 각하, 바로 이렇게 해서 사법적 오판이 저질러졌습니다. 게다가 드레퓌스의 도덕성, 부유한 환경, 범죄 동기의 부재, 끝없는 무죄의 외침은 그가 뒤파 티드클랑 소령의 상상력, 그를 둘러싼 종교적 환경, 우리 시대의 불명예인 '더러운 유대인' 사냥 등의 희생자였음을 더욱 확신하게 합니다. (……) 제가 고발한 사람들에 관한 한, 저는 그들을 알지도 못하며, 단 한 번 만난 적도 없으며, 그들에게 원한이나 증오를 품고 있지도 않습니다. 그들은 제게 사회악의 표본일 뿐입니다. 그리고 오늘 저의 행위는 진실과 정의의 폭발을 앞당기기 위한 혁명적 수단일 뿐입니다.

저는 그토록 큰 고통을 겪는 인류, 바야흐로 행복 추구의 권리를 지닌 인류의 이름으로 오직 하나의 열정, 즉 진실의 빛에 대한 열정을 간직하고 있을 뿐입니다. 저의 불타는 항의는 저의 영혼의 외침일 뿐입니다.

(에밀 졸라, 『나는 고발한다.』)

*군적 박탈식: 군인의 신분이나 지위를 박탈하는 의식.
* 날조(捏造)하다: 사실이 아닌 것을 사실인 것처럼 거짓으로 꾸미다.
* 기소장(起訴狀)검사가 특정한 형사 사건에 대하여 법원에 심판을 요구하기 위해 법원에 제출하는 문서.

『고등학교 독서』

[바] "어떤 조건도 받아들일 수 없다. 무조건 항복하라!"

"자비를 구합니다. 왕이시여, 부디 시민들의 안위만큼은 보장해 주십시오."

"다시 말하지만 그 어떤 조건도 들어줄 수 없다. 지금 너희가 해야 할 일은 나에게 무조건 항복하는 것이다. 항복하지 않는다면, 칼레 시는 철저히 쑥대밭이 될 것이다."

1347년, 영국 왕 에드워드 3세 앞에 프랑스 북부에서 온 칼레의 사절이 간절히 자비를 구하고 있었다. 프랑스와 영국 사이에서 벌어진 백년 전쟁(1337~1453), 그 초기에 칼레 시는 기근에도 불구하고 11개월간이나 영국인들의 공격을 잘 막아냈다. 그러나 영국군의 방어 태세에 자신감을 상실한 나머지 프랑스 왕 필리프 6세가 칼레 시로 향하던 군사들에게 발길을 돌리라 명하자, 칼레 시는 고립무원*의 상태에 빠지고 말았다. 결국 영국에 항복하는 것 외에 다른 아무런 대안이 없음을 깨달은 칼레의 시민들은 조금이라도 유리한 조건으로 항복하기 위해 필사의 노력을 다했다. 그러나 칼레의 사자*를 접한 영국 왕 에드워드 3세의 태도는 전혀 누그러질 줄 몰랐다. 이때 왕의 측근 월테 머네이 경이 왕 앞에 나섰다. 측근까지 나서서 자비를 구하자, 잠시 생각에 잠긴 에드워드 3세는 마침내 마음을 고쳐먹은 듯 입을 열었다.

"좋다. 자비를 베풀겠노라. 모든 칼레 시민의 생명을 보장하겠다. 그러나 지체 높은 사람들 가운데 여섯 명만은 예외이다. 그것이 나의 조건이다. 누군가는 그동안의 어리석은 반항에 대해 책임을 져야 할 것이 아닌가? 모든 칼레의 시민들을 대표하여 그들은 머리에 아무것도 쓰지 말고 맨발로 나에게 걸어와야 할 것이며, 목에는 교수형에 쓸 밧줄을 메고 있어야 한다. 물론 그 가운데 하나는 내가 성문을 열고 들어갈때 사용할 열쇠꾸러미를 손에 들고 있어야 하겠지."

이 소식이 곧 파수대 앞에 모인 칼레의 시민들에게 전해졌다. 시민들은 결국 항복하게 되었다는 굴욕감*과 그럼에도 불구하고 대다수가 목숨을 부지할* 수 있게 되었다는 안도감, 그리고 이를 위해 시민 여섯 명이 스스로 목숨을 내놓아야 한다는 자괴감*등으로 피 같은 눈물을 흘렸다. 패자의 운명은 이렇듯 야속하고 수치스럽기 그지없는 것이었다. 모두가 절망감에 빠져 어쩔 줄 몰라 히는 그 순간, 외스타슈라는 노인이 앞으로 나섰다.

"내가 죽으러 가겠소. 자, 우리 자원해서 희생합시다. 우리는 싸움에 저서 항복했을 뿐이지 우리의 얼과 넋마저 내어 준 것은 아니오. 제비뽑기 같은 것을 해서 희생자를 뽑는다면 그 구차*함에 후손들에게도 부끄러울 것이오. 우리 당당하게 죽읍시다. 자원할 사람은 앞으로 나오시오"

(……) 죽음이 두렵지 않은 사람이 과연 있을까? 그렇기에 죽음이 두렵고 가족들과 헤어지는 것이 그 무엇보다 슬프고 괴롭지만, 오로지 다른 시민들을 살리기 위해 죽음을 향해 나아간 그들의 행동은 진정 대단한 일이 아닐 수 없다.

(이주헌, 『이주헌의 프랑스 미술 기행』)

* 고립무원(孤立無援: 고립되어 구원을 받을 데가 없음.
* 사자(使者): 명령이나 부탁을 받고 심부름하는 사람.
* 굴욕감(感): 남에게 억눌리어 업신여김을 받으며 느끼는 창피한 느낌.
* 부지(扶持/扶支)할 상당히 어렵게 보존하거나 유지하여 나갈.
* 자괴감(自愧感): 스스로 부끄러워하는 마음.
* 구차(且): 말이나 행동이 떳떳하거나 버젓하지 못함.

-『고등학교 독서』

[문제 3] 제시문 [가]와 [나]의 관점의 차이를 설명한 후, [다]의 주장을 [가]의 관점으로, [라]의 주장을 [나]의 관점으로 설명하시오. 그리고 제시문 [가]와 [나]를 토대로 [마]와 [바]의 상이한 정의관(觀)을 추론하고 그 이유를 함께 기술하시오.

<500~700자> [40점]

# 3. 2024학년도 동국대 모의 논술

**※ 다음 제시문을 읽고 물음에 답하시오.**

【가】 인간은 사회적 존재이다. (……) 인간은 태어나면서부터 사회에서 살아가는데 필요한 모든 능력을 지니는 것은 아니다. 인간은 다른 사람들과 상호작용을 하면서 사회에서 필요한 것들을 배우며 성장한다. 이와 같이 인간이 사회생활에 필요한 언어와 지식 등을 습득하고, 한 사회의 가치와 규범 등을 내면화하면서 사회적 존재로 성장해 가는 과정을 사회화라고 한다. 사회화는 개인에게는 물론 사회적으로도 의미가 있다. 사회화는 개인적 차원에서 언어와 지식, 기술, 행동 양식 등을 습득하고 자아 정체성과 인성을 형성하게 된다. 사회적 차원에서는 그 사회의 가치와 규범 등을 학습하여 사회를 지속시키며 한 세대의 문화를 다음 세대로 이어지게 한다. (……) 특히 인터넷의 발달과 스마트폰 보급의 확대로 누리 소통망(SNS)과 같은 뉴미디어가 개인의 사회화에 많은 영향을 끼치고 있다.

『고등학교 사회·문화』

【나】 인간의 사회화 과정은 전 생애에 걸쳐 이루어진다. 사회 변화나 새로운 환경에 적응하기 위해 이전과는 다른 규범, 가치 및 행동 양식을 학습하기도 하는데, 이를 '재사회화'라고 한다. (……) 사람들은 미래의 어떤 변화에 따라 새로 갖게 될 지위에 따른 역할을 미리 배우고 준비하기도 한다. 이러한 과정을 '예기 사회화'라고 한다.

『고등학교 사회·문화』

【다】 기능론적 관점에서 보는 사회화는 사회 구성원이 사회화를 통해 합의한 사회적 규범과 가치, 행동 양식 등을 습득한다. 사회화의 내용과 과정은 사회적 필요에 따라 사회 구성원이 합의한 것이고, 사회화는 사회의 질서 유지와 기능 통합에 이바지 한다. (……) 사회화에 실패한 개인은 재사회화를 통해 다시 사회의 안정에 이바지하는 구성원이 될 수 있다. 갈등론적 관점에서 보는 사회화는 한 사회의 지배 집단이 그들에게 유리한 가치나 행동 양식을 사회 구성원에게 습득시키는 과정이다. 이러한 과정을 통해 사회 구성원은 지배 집단의 이념을 내면화하고 기존의 지배와 피지배 구조를 존속하는 데 필요한 역할을 하도록 교육된다. 즉, 사회화는 사회 집단 간의 이해관계를 반영하고 지배 집단의 이익 증진에 이바지하는 사람들을 양성해 가는 사회적 작용이다. 상징적 상호 작용론적 관점에서 보는 사회화는 사회적 상호 작용을 통해 이루어진다. 개인은 일상의 다양한 상황에서 접하는 다른 사람의 반응이 어떤지를 보면서 바람직한 행동과 가치가 무엇인지 고민한다. 타인의 눈에 비친 자신의 모습을 상상하거나, 타인의 역할을 모방하면서 객관적으로 자신을 바라보는 자아 관념을 형성하고 그에 따른 역할과 역할 행동을 학습해 나간다. 사회화의 핵심은 상호작용을 통한 자아 관념의 형성 과정에 있다.

『고등학교 사회·문화』

【라】 최근 노인들을 대상으로 한 스마트폰 활용 교육이 인기가 많다. 한 할아버지는

"스마트폰을 통화 용도로만 사용했지만, 스마트폰 교육을 통해 여러 가지를 배워 모바일 메신저, 누리 소통망(SNS)등 각종 앱으로 가족, 이웃들과 자주 연락할 수 있어서 좋다."라고 말하였다. -≪충청투데이≫, 2016.7.-

(……) 스마트폰이 대중화되면서 사람들이 새로운 것을 접하고 배우는 방식에도 큰 변화가 일어나고 있다. (……) 명절 즈음에는 차례상 차리는 법을 알려주는 애플리케이션의 다운로드 수가 급격히 늘어나고 인터넷 블로그 등, 누리 소통망을 보면서 요리법을 익히는 사람도 많다. (……) 컴퓨터와 스마트폰을 사용하는 사람들이 늘어나면서 사회생활에서 알아야 할 많은 깃을 인터넷과 같은 뉴비니어를 통해 배우는 추세가 더욱 더 강화할 것으로 예상한다.

『고등학교 사회·문화』, 『고등학교 언어와 매체』

[문제 1] 제시문【다】에서 언급한 사회화를 바라보는 세 가지 관점의 핵심적 차이점에 대해 설명하시오. 그리고 제시문【가】와【나】의 내용을 토대로 제시문【라】에서 주요하게 나타난 사회화의 유형은 무엇인지 정리해보고, 기능적 관점에서 바라본 사회화를 바탕으로 뉴미디어 확산에 따른 노인들의 사회화가 왜 중요한지 설명하시오.

<250~400자> [30점]

※ 다음 제시문을 읽고 물음에 답하시오.

【가】 (앞부분 줄거리) 새해 첫 출근 날, 회사에 다니는 주인공 '남자'는 밤새 내린 눈이 허리를 넘어설 만큼 쌓여 출근할 수 없게 된다. 초조함 속에서 하루를 더 보낸 남자는 결국 눈을 파헤치며 회사로 향하지만 금세 지쳐 버린다. 상사의 압박에 불안감을 느끼던 남자는 우수 사원인 유대리 역시 출근하지 않았다는 소식을 듣고 유대리에게 전화해 보지만 그는 전화를 받지 않는다.

빨리 안 오고 뭐해. 과장의 문자가 도착했다. 어느새 두 시였다. 남자는 삽을 쥐고 기계적으로 움직였다. 눈을 치우는 속도가 점점 빨라졌다. 하지만 그만큼 빨리 지쳤다. (……) 남자의 삽 끝에 폐지 묶음이 걸렸다. (……) 삽으로 떠내는데 그 사이에 들어 있던 중국집 스티커가 남자의 구두 위에 툭 떨어졌다. 손바닥만 한 광고지에는 짜장면과 짬뽕, 볶음밥 사진이 인쇄되어 있었다. (……) 입안에 따뜻한 침이 고였다. 짜장면 곱빼기 한 그릇만 먹고 나면 회사까지 갈 힘이 생길 것 같았다. 다 먹고살자고 하는 일 아닌가. 남자는 홀린 듯 휴대 전화를 꺼냈다.

(……) 눈 때문에 출근도 못하는데 배달이 될까 의심했지만 안전모를 쓴 배달원은 삽으로 눈을 퍼내면서 남자에게 다가와 짜장면을 건넨다. 남자가 '대단하시네요'라고 하자 배달원은 "눈이 와도 먹고는 살아야죠"라고 답한다. 줄줄 흐르는 콧물을 손등으로 닦으면서 짜장면을 먹고 남자는 다시 속도를 내서 삽질을 한다.

맞은편에 불 꺼진 편의점이 있었다. 편의점 간판을 보자 온장고에 든 따뜻한 캔 커피가 마시고 싶어졌다. 얼마 전까지 일상이었던 것들이 지금은 손이 닿지 않는 저 눈 밑에 파묻혀 버렸다. 누가 만들어 놓았는지 편의점 앞에는 남자의 키만 한 눈사람이 서 있었다. 동그란 눈과 웃는 입 모양을 한 눈사람이었다. 그 웃는 얼굴을 보고 남자는 잠시 멈춰 섰다. 눈이 재앙이 되고 눈 때문에 일상이 무너진 곳에 서 있는, 웃는 얼굴의 눈사람은 김새는 농담 같았다. 남자는 자신도 모르게 그 입 모양을 흉내 냈다. 말라붙어 있던 입술이 툭 터져서 피가 찔끔 새어 나왔다.

(……) 한참 속도를 내다가 어디선가 메아리처럼 익숙한 음악 소리가 들렸다. 결국 남자는 소리 나는 곳으로 삽을 움직였고, 손으로 눈을 쓸어내자 눈 속에 파묻힌 채 빳빳하게 언 양복바지 안에 있는 누군가의 휴대전화를 발견한다. 무릎을 꿇고 삽과 손으로 눈을 파내자 양복 차림의 사람이 눈의 중간에 화석처럼 묻혀 있었다.

전체적으로 몸을 둥글게 말고 있는 모습이지만 상반신 일부는 아직도 눈 속에 묻혀 있었다. 쌓인 눈의 두께로 봐서는 그가 쓰러진 뒤에도 눈이 계속 내렸다는 걸 알 수 있었다. (……) 눈을 쓸어 내자 어깨와 목, 안경을 쓴 얼굴이 차례로 나타났다. 혹시라도 맥박이 뛰는지 확인하려던 남자가 바닥에 그대로 주저앉았다. 눈 속에서 화석이 된 사람은 집에도 없고 전화도 받지 않던 유 대리였다. 이봐 남자는 유 대리의 몸을 흔들었다. 턱에서 땀이 툭 떨어졌다. 일어나. 휴대전화에서 다시 익숙한 멜로디의 노래가 흘러 나왔다. "이봐!" 유 대리를 부르는 남자의 목소리가 떨렸다. 유 대리의 전화기를 주워 귀에 댔지만 남자는 아무 말도 하지 못했다. '여기, 눈 속에, 유 대리가 있어요.' 하지만 그 말은 입 밖으로 나오지 않고 남자의 입 안에서 딱딱하게 굳었다.

해가 기울고 주위는 어느새 어둑어둑해졌다. 이대로 한 시간 정도만 파고 가면 회사에 도착할 수 있을 것 같은데. 남자는 회사 쪽을 쳐다보았다. 그리고 자신이 파고 온 길을 돌아보았다. 앞으로 나아가기에도 다시 돌아가기에도 만만치 않은 거리였다. 게다가 남자는 너무 지쳐 있었다. 그는 유 대리의 옆에 쪼그리고 앉아서 숨을 골랐다. 졸음이 밀려왔지만 졸지 않으려고 눈을 부릅떴다. 눈 더미는 딱딱하거나 차갑게 느껴지지 않고 그저 공원에 있는 벤치 같았다. 시야가 구겨진 종이처럼 뭉개지고 있었다.  -서유미, 「스노우맨」-

– 고등학교 문학

【나】 국철을 타고 앉아 가다가
문득 알아들을 수 없는 말이 들려 실피니
아시안 젊은 남녀가 건너편에 앉아 있었다
늦은 봄날 더운 공휴일 오후
나는 잔무하러 사무실에 나가는 길이었다
저이들이 무엇하려고
국철을 탔는지 궁금해서 쳐다보면
서로 마주 보며 떠들다가 웃다가 귓속말할 뿐
나를 쳐다보지 않았다
모자 장사가 모자를 팔러 오자
천 원 주고 사서 번갈아 머리에 써 보고
만년필 장사가 만년필을 팔러 오자
천 원 주고 사서 번갈아 손바닥에 써 보는 저이들
문득 나는 천박한 호기심이 발동했다는 생각이 들어서
황급하게 차창 밖으로 고개 돌렸다
국철은 강가를 달리고 너울거리는 수면 위에는
깃털 색깔이 다른 새 여러 마리가 물결을 타고 있었다
나는 아시안 젊은 남녀와 천연하게
동승하지 못하고 있어 낯짝 부끄러웠다
국철은 회사와 공장이 많은 노선을 남겨 두고 있었다
    저이들도 일자리로 돌아가는 중이지 않을까 -하종오, 「동승」, 『국경없는 공장』-
–『고등학교 국어』

【다】 1886년 5월 1일, 미국 노동자들이 '8시간 노동쟁취'를 요구하며 총파업을 단행했고, 이를 기념하기 위해 노동절이 지정되었다. 총파업을 단행하게 된 배경에는 하루 평균 17시간 노동이라는 무자비한 노동량이 있었다. 노동자들의 이 같은 열망에 경찰은 물리적 폭력으로 대응했지만, 3년 뒤인 1889년 프랑스 파리에서 미국 노동자의 정신을 계승하고자 5월 1일을 '세계 노동절'로 선포하게 되면서 '8시간 노동 쟁취'라는 요구를 전면에 내세우게 되었다. -국민저널, 2014년 5월 1일-
–『고등학교 사회·문화』

 근로기준법은 헌법에 따라 근로 조건의 기준을 정함으로써 근로자의 기본적 생활을 향상하며, 균형 있는 국민경제의 발전을 꾀하는 것을 목적으로 제정된 법이다.

(……) 근로 시간은 원칙적으로 1일 8시간, 1주 40시간을 초과할 수 없는데, 당사자 간에 합의하면 1주일에 12시간까지 연장할 수 있다. 근로 시간이 4시간 이상인 경우에는 30분 이상, 8시간인 경우에는 1시간 이상의 휴게 시간이 있어야 한다. 또한 사용자는 근로자가 일정 기간 근무하면 유급 휴일을 주어야 하며, 연장 근로와 야간 근로 또는 휴일 근로에 대하여는 통상 임금의 50%를 가산하여 지급해야 한다.

－『고등학교 정치와 법』

【라】 민주 사회의 시민은 구성원의 기본권을 침해하거나 소수자를 부당하게 차별하는 정치 공동체의 법이나 정책을 시정하기 위해 노력해야 한다. 이러한 노력 중의 하나가 시민 불복종이다.

롤스는 『정의론』에서 시민불복종이란 "법이나 정부의 정책에 변혁을 가져올 목적으로 행해지는, 공공적이고 비폭력적이며 양심적이긴 하지만 법에 반하는 정치적 행위"라고 주장하였다.

하버마스는 롤스의 입장을 수용하여 시민불복종이 비폭력적이어야 하며, 규범을 위반한 것에 대한 처벌을 감수하는 전제하에서 행해져야 한다고 보았다.

시민불복종은 언제 어디서나 무조건적으로 정당화될 수 있는 것은 아니다. 시민불복종은 개인적인 이익을 배제하고 정의의 원리를 따를 때 그 행위 목적이 정당화될 수 있으며, 실정법을 위반함으로써 뒤따르는 처벌을 감수하는 책임성이 수반되어야 한다. 또한 시민 불복종은 구성원과의 소통을 전제하는 공개적인 방식으로 이루어져야 하며, 다른 시민과의 유대를 해치는 행동이나 폭력을 수반하는 행동을 해서는 안 된다.

이같이 시민 불복종은 민주 사회의 시민으로서 누릴 수 있는 기본적 권리이면서, 동시에 정당화되기 위한 조건이 충족되어야 하고 신중하게 이루어져야 한다.

－『고등학교 윤리와 사상』

[문제 2] ① 【가】의 제목 '스노우맨'과 소설에서 '눈'과 인물들의 상황이 암시하는 의미를 서술하시오.
② 【가】와 【나】의 시에 나타난 공통점을 찾아 그 공통점이 【다】의 내용과 지닌 상관성을 서술하시오.
③ 【가】, 【나】에 나타난 문제에 대해 【라】와 같은 해결책이 필요한 이유를 쓰시오.

<250~400> [30점]

※ 다음 제시문을 읽고 물음에 답하시오.

【가】 우리는 누구나 정의로운 사회에서 살고 싶어 한다. 그러나 구체적으로 무엇을 정의롭다고 볼 것인지에 대해서는 관점이 다양할 수 있다. (……) 폭력성과 선정성을 일으키는 웹툰을 규제하는 것을 두고, 어떤 사람은 공동체의 건전한 가치관을 보호하기 위해 규제는 정의롭다고 주장할 수 있다. 반면 다른 사람은 이러한 규제 정책이 자칫 개인의 표현의 자유를 침해할 수 있어 정의롭지 않다고 보기도 한다.

『고등학교 통합사회』

【나】 늘 다니던 길, 돈을 내라고? - 현대판 봉이 김선달

읍내에서 작은 철물점을 운영하는 A 씨는 요즘 출근길에 나서는 발걸음이 한결 가벼워졌다. 한동안 그를 괴롭히던 다툼이 해결되었기 때문이다. A 씨의 철물점은 큰길에서 골목을 따라 들어와야 하는 안쪽 건물에 있는데, 4년 전 길가 쪽 상가 건물의 주인이 B 씨로 바뀌면서 이 골목길도 자신의 소유이니 매달 55만원의 통행료를 내라고 요구하였다. 이 진입로는 30여 년간 누구나 오갈 수 있는 통행로였는데, B 씨는 통행을 제한하는 방벽(바리케이드)과 컨테이너, 간이 쇠말뚝을 설치하고 관리 요원까지 두고 길을 막았다. 참다 못한 A 씨 등은 서울 중앙 지방 법원에 '통행 방해 배제 소송'을 제기하였다. 이에 대해 법원은 "일반 공중의 통행을 막는 것은 권리 행사의 남용에 해당한다"라며 A 씨의 손을 들어주었다. -세계일보, 2009. 10. 25.

『고등학교 정치와 법』

【다】 자유주의에서는 구성원 각자의 자유와 평등한 기회를 보장하고, 공정하고 투명한 경쟁 과정을 확립해야 한다고 본다. 개인마다 추구하는 삶과 가치가 다르기 때문에이다. 따라서 자유주의자들은 각 시민의 사적인 삶과 개인선*을 보장하고자 한다. 그리고 다양한 개인선을 보장함으로써 사회 전체의 선을 증진할 수 있다고 본다. 이러한 관점에서 자유주의는 개인들 상호간에 인권을 존중하고, 법을 공정하게 운용하며, 개인의 신념과 가치관을 관용하는 태도를 보일 것을 강조한다. (……) 따라서 타인의 자유를 침해하지 않는 한에서 개인의 자유와 권리를 최대한 보장하여 개인선을 실현하는 것이 정의롭다고 본다.

* 개인선(個人善): 개인의 행복 추구나 자아실현 등 개인이 사적으로 누릴 수 있는 이익을 말한다.

- 『고등학교 윤리와 사상』, 『고등학교 통합사회』

【라】 공동체주의(공화주의)는 공공의 가치와 공동선*을 존중하고, 정치를 비롯한 공적 책무에 적극적으로 참여하는 의식과 태도인 시민적 덕성을 강조한다. 그리고 이를 위해서 정치 지도자들은 시민적 덕성을 모범적으로 실천해야 하고, 국가는 시민 교육을 바탕으로 시민들이 덕성을 함양하도록 도와야 한다. (……) 따라서 개인이 속한 공동체의 공동선을 실현하는 것이 정의롭다고 본다.

* 공동선(共同善): 특정 개인에게만 유익한 것이 아니라 공동체 구성원 모두에게 유익한 것, 즉 공공의 이익을 말한다.

- 『고등학교 윤리와 사상』, 『고등학교 통합사회』

[문제 3] 제시문 【다】와 【라】에 제시된 두 관점에서 【나】에 나타난 소유권 주장에 대해 평가하시오. 그리고 【가】의 논의를 바탕으로 모든 구성원이 행복한 사회를 실현하기 위해서 【다】와 【라】에 나타난 두 관점 간의 관계가 어떠해야 하는지 설명하시오.

<550~700자> [40점]

# 4. 2023학년도 동국대 수시 기출 (인문계열 Ⅰ)

※ 다음 제시문을 읽고 물음에 답하시오

【가】 인간은 언어로 사고하고, 소통하고, 문화를 발전시킨다. 또한 언어의 표현력과 전달력을 높이기 위해 다양한 매체가 개발되었는데, 인간관계 및 사회관계가 복잡해지고 기술이 발전하면서 그 중요성이 점점 커지고 있다. 이처럼 현대인은 음성과 문자, 매체를 다양하게 활용하여 언어생활을 하고 있다. 언어는 인간의 사고와 사회·문화를 반영하는 기호체계이며, (……) 언어는 그 자체로 문화적 산물인 동시에 한 문화를 반영하는 거울이라 할 수 있다. 언어는 그 사회의 문화를 나타내기 때문이다. 이처럼 어떤 언어든 그 언어를 사용하는 언어 공동체의 고유한 문화와 밀접하게 관련되어 있다. (……) 언어는 그 언어를 사용하는 언어 공동체의 문화를 반영하기도 하고 그 언어 공동체의 문화를 다음 세대로 전승하여 축적하는 기능도 한다. (……) 인간은 시대에 따라 다양한 매체를 활용하여 의사소통을 해 왔다. 특히 현대 사회는 기술 발달과 함께 매체의 비중이 높아졌을 뿐 아니라, 매체가 단순한 의사소통의 수단을 넘어 다양한 문화를 형성하는 토대로 작용하고 있다. 매체는 또한 현대 사회에서 중요한 의사소통 수단으로서의 특성을 가진다.

- 고등학교 언어와 매체

【나】 영국의 인류학자 타일러(Tylor, E. B.)는 "문화란 지식, 신앙, 예술, 도덕, 법률, 관습, 기타 사회 구성원으로서 인간이 획득한 모든 능력이나 습성의 복합적 전체이다."라고 하였다. (……) 문화는 다음의 여러 속성들을 지니고 있다. 먼저 문화는 한 사회의 구성원이 공통으로 가지는 생활양식으로서, 그 사회의 구성원들에 의해 공유된다. 이를 '문화의 공유성'이라 한다. 둘째, 문화는 선천적으로 타고나는 것이 아니라 후천적으로 학습하여 습득된다. 이를 '문화의 학습성'이라고 한다. 셋째, 문화는 시간이 흐르면서 그 모습이나 내용, 의미 등이 변화한다. 이를 '문화의 변동성'이라고 한다. 넷째, 인간은 언어와 문자를 사용하여 한 세대에서 이루어진 경험과 지식을 다음 세대로 전달하여 문화적 축적을 할 수 있다. 이러한 축적의 과정을 통해 문화는 한 세대에서 다음 세대로 전승되면서, 기존의 문화에 새로운 요소가 더해져 더욱 풍부해지고 다양해진다. 이를 '문화의 축적성'이라고 한다. 마지막으로 한 사회의 문화는 지식, 가치, 예술, 규범, 제도 등 수많은 요소로 구성되어 있고, 이러한 문화 요소는 별도로 기능하는 것이 아니라 서로 긴밀한 유기적 연관성을 지니고 있다. 이러한 문화의 속성을 '문화의 총체성'이라고 한다.

- 고등학교 사회·문화

【다】 우리는 정보의 수용자이자 생산자이다. 따라서 매체를 통한 언어생활을 할 때 매체 자료의 신뢰성, 유용성을 판단하고 평가할 수 있는 능력이 필요하다. 무엇보다 우리는 현대 사회의 문제로 부각하고 있는 언어 규범 및 윤리 파괴 문제에 유의해야 한다. 규범에 맞지 않는 언어, 비윤리적 언어 사용은 사회 구성원 사이에 소통의 단절을 초래할 수 있고, 이는 사회적 갈등이나 차별로 이어질 수 있다.

【라】 우리는 일상생활에서 종종 음절 수가 많은 긴 단어를 간단히 말하기 위해 몇 음절만 따서 줄여 말하고, '깜놀', '심쿵', 심지어 'ㅇㅋ'과 같이 음운만을 사용하여 의사소통하기도 한다. 특히 청소년들은 누리 소통망(SNS)과 같은 가상공간에서 친구들과 소통할 때에 새로운 줄임말을 많이 만들어 내고, 그러한 말을 일상생활에서도 사용한다. 이러한 말들은 그 뜻을 잘 알고 있는 가까운 사이에서는 친밀감을 높이고 유대감을 형성하며, 의사소통을 빠르게 할 수 있도록 한다. 그러나 상대가 그 말의 뜻을 잘 모른다면 의사소통에 문제가 생길 수 있다. (……) 때로는 줄임말을 이해하지 못하고, 유행이 지난
줄임말을 쓰는 상대방에게 '극혐'이라고 말하며 실망스러움을 표현하고 있다.

[문제 1] 제시문 【라】에 나타난 줄임말이나 신조어 사용 현상을 하나의 '문화'라고 볼 수 있는 근거를 【가】와 【나】를 참조하여 네 가지 이상 제시하시오. 그리고 줄임말이나 신조어가 의사소통에서 '어떤 부정적 영향을 초래할 수 있으며 이를 어떻게 해결할 수 있는지'를 【가】와 【다】의 내용을 토대로 추론하여 서술하시오.

※ 다음 제시문을 읽고 물음에 답하시오

【가】기업은 생산 활동의 주체로서 가계가 필요로 하는 재화와 서비스의 공급자이며 가계로부터 생산 요소를 구입하는 수요자인 동시에 정부에 세금을 납부하는 납세자의 역할을 한다. (……) 기업은 생산 활동을 통해 국민 경제에 필요한 재화와 서비스를 공급하고 이윤을 극대화하지만, 그 과정에서 혁신을 통해 사회를 더 풍요롭게 한다. (……) 현대 사회에서 기업은 과거보다 더 다양한 재화와 서비스를 생산한다. 기업의 생산 활동이 사람들의 일상생활과 사회 전반에 미치는 영향이 더욱 커지고 있다.

경영자 중 이윤 칭출을 위해 위험과 불확실싱을 무릅쓰고 과감히 도전하는 정신과 의지를 가진 경영자를 기업가라고 하며, 이러한 도전하는 정신을 기업가 정신이라고 한다. (……) 기업가 정신은 미래에 대한 통찰력, 과감한 도전 정신, 창의력 등을 바탕으로 한다. (……) 기업가 정신이 충만한 기업가는 새로운 사업 영역을 창출하고 신제품 개발에 도전하며, 새로운 시장 개척에 앞장선다. (……) 나아가 새로운 기술 개발과 생산 비용 절감을 통해 기업의 생산성을 향상한다. 이러한 기업가의 혁신을 통해 기업은 총수입을 증가시키고 총비용을 감소함으로써 많은 이윤을 창출할 수 있다.

- 고등학교 경제 , 고등학교 통합사회

【나】현대 과학 기술은 우리의 삶을 성찰해 볼 시간적 여유를 갖지 못할 정도로 빠른 속도로 발전하고 있다. 요나스는 과학 기술의 발달과 그것을 따라가지 못하는 도덕적 숙고의 간격을 윤리적 공백이라고 표현하였다. 윤리적 공백이란 과학 기술의 발전 속도와 과학 기술의 영향에 대한 이성의 도덕적 숙고가 충분히 반영되지 못해서 생기는 간격을 말한다. 그리고 이는 결국 이성적 인간(Homo Sapiens)에 대한 도구적 인간(Homo Faber)의 지배를 초래할 것이라고 비판하였다.

- 고등학교 생활과 윤리

【다】오늘날 인공 지능은 '딥러닝(Deep Learning)' 기술의 발달로 크게 도약하였다. 인간의 두뇌는 수많은 정보 속에서 일종의 규칙을 발견한 뒤 사물을 구분하는데, 딥러닝은 이러한 정보 처리 방식을 기계에 적용한 기술이다. 이로써 인공 지능은 인간처럼 '학습'이 가능해졌다. 현재 번역, 음성 인식, 의료 분야 등에서 많은 성과가 나타나고 있다. 인공 지능의 진화는 기계가 인간을 이해함으로써 더욱 삶에 도움이 된다는 점에서 긍정적이지만, 장래에 기계가 인간의 능력을 넘어서는 '기술적 특이점'이 왔을 때 도리어 인간이 기계에 지배당하는 시대가 올 수 있다는 우려도 낳고 있다.

- 고등학교 세계사

【라】유전자 재조합(GMO) 농산물은 어떤 생물의 유전자 중 유용한 유전자, 예를 들면 추위, 병충해, 제초제 등에 강한 성질만을 취한 후 다른 생물체의 유전자에 삽입하여 만든 새로운 농산물을 말한다. 유전자 재조합 농산물은 생산성을 높이고 상품의 질을 강화한다는 장점이 있으나, 인체에 대한 유해 가능성과 생물 종의 다양성 훼손이라는 측면에서 그 위험성을 제기하는 목소리가 끊이지 않고 있다.

- 고등학교 세계지리

【마】기업이 성장하기 위해서는 경영자뿐 아니라 노동자의 노력이 필요하고, 생산한

상품을 소비해 주는 소비자가 있어야 하며, 기업 활동에 대한 정부의 지원도 필요하다. 특히 정부가 세금으로 건설하는 항만, 도로, 교통 시설 등과 같은 사회 간접 자본은 기업 활동에 없어서는 안 될 중요한 요소이다. 그래서 기업은 이윤을 추구하는 목적뿐만 아니라 기업을 성장할 수 있게 하는 사회 전체에 대해 책임을 가져야 한다. 기업이 사회에서 가져야 할 일정한 책임을 기업의 사회적 책임이라고 한다. (……)

기업의 사회적 책임이란 단순히 법적·경제적 책임에서 더 나아가 도덕적인 책임까지 고려하여 생산 활동을 하는 것이다. (……) 단순히 사회에서 필요로 하는 재화와 서비스를 생산한다는 의미를 넘어 건전한 이윤을 추구하는 것과 함께 소비자의 권익을 고려하는 것이다. 더불어 기업의 경영 방침이 윤리적인지, 공정한 경쟁을 하고 있는지, 노동자의 복지나 자아실현에 힘쓰고 있는지 등도 포함된다. (……) 기업은 고용차별, 불합리한 해고, 환경 오염 등 다른 주체에게 해를 끼치는 행위를 하지 않아야 한다. 나아가 장애인 고용, 낙후된 지역에서의 공장 설립, 예술 및 교육 사업 지원 등과 같은 적극적 행위를 하여 기업의 사회적 책임을 다해야 한다.

- 고등학교 경제 , 고등학교 통합사회

**[문제 2]** 제시문 【마】에서 설명한 기업의 사회적 책임이 필요한 이유에 대해 【가】, 【나】의 내용과 【다】, 【라】의 사례를 활용하여 기술하시오.

<250~400자> [30점]

※ 다음 제시문을 읽고 물음에 답하시오

【가】 어느 날 경비원 아저씨 한 분을 인터뷰했다. 그 아저씨는 수년 동안 한 달에 2만 원가량 기부해서 국무총리상을 타게 되었는데 정작 시상식에는 참석하지 않았다. 우리는 그 아저씨에게 전화를 했다.

"아저씨! 그날 근무 바꿔 줄 사람이 없어서 시상식에 못 가신 거예요?"

그랬더니 아저씨는 한사코 그건 상을 탈 만한 일이 아니라고 생각했기 때문이라고 대답했다. 띄엄띄엄 어눌하게 이어졌던 아저씨의 말을 정리하면 이렇다.

"좁디좁은 경비실에 앉아서 이 방법 말고 어떻게 우주를 꿈꾸겠어요? 어떻게 우주의 한 귀퉁이에 사는 사람으로서 기여를 할 수 있겠어요?"

'이 좁은 곳에 앉아서 어떻게 우주를 꿈꾸나?'란 말을 들은 나는 <레 미제라블>을 생각했다. <레 미제라블>의 바리케이드 시가전 장면에서 바리케이드 안의 사람들은 완전히 고립되었고 새벽이 밝아 오면 곧 모두 죽을 것이다. (……) 다들 내가 나가겠다고 아우성칠 것이라고 생각했지만 이야기는 정반대로 진행되었다. 모두 자신이 죽겠다고, 기왕 죽을 거면 훌륭한 죽음을 맞고 싶다고 말한다. (……) 일상에 매여 살면서 인간성에 대해 별다른 상상력을 발휘하지 않고 살 때조차 우리는 어떤 믿음에 은밀히, 그러나 한사코 매달린다. 우리에겐 모두 완전히 포기할 수 없는 믿음들이 있다. 경비원 아저씨가 좁은 경비실에 앉아서 우주를 꿈꿨듯 나도 침대에서 <레 미제라블>을 읽으면서 포기하려 해도 결코 포기할 수 없는 위대한 인류에 대한 믿음에 가까이 가 볼 수 있었다. 결국 믿음을 지키기 위해서 우리에게는 우리가 살고 있는 것보다 더 높은 현실에 매달려야 하는 순간이 있는 것이다. (……) '레 미제라블'은 도대체 누구를 말하는가? 위고는 매춘부, 억울한 도둑, 굶주린 하층민 계급에 대해서만 말하려 했던가? 공원에 며칠째 굶주린 어린 두 형제가 있다. 그곳에 자기 삶은 올바르다는 확신에 가득 찬 중산층 시민 아버지가 아들을 데리고 산책을 나온다. 아들 손에는 빵이 있다. 배가 부른 아들은 호수의 백조들에게 빵을 던져 준다. 그리고 이 부자가 사라지자 형은 동생을 위해 호수에서 물에 젖은 빵을 건져내 두 조각으로 나누고 큰 것은 동생에게 주고 작은 것은 자기가 먹는다. 이 부분 바로 앞에 위고가 쓴 말들을 요약하자면 이렇다. 다른 사람에게 관심을 갖지 않는 사람들, 평화롭고 무자비하게 만족한 사람들, 자기들이 불쌍한 사람들이란 생각을 조금도 하지 않는 사람들, 울지 않는 사람들을 찬미하라. 그리고 불쌍히 여겨라!

그런데 장 발장도 자신에 대해서 '나는 불쌍한 사람'이란 말을 사용한다. 그것도 단 한 경우에만 사용한다. 그건 억울한 옥살이에 대한 것이 아니다. 그것은 오로지 양심에 관련된 이야기다. 코앞에 다가온 행복조차 오로지 양심을 지키기 위해서라는 단 하나의 이유로 포기할 때 그는 "나는 레 미제라블이에요!"라고 말한다. 여기서 레 미제라블의 의미가 바뀌어 버린다. 그들은 단지 불쌍한 사람들이 아니다. 그들은 자신의 처지에도 불구하고 각자의 진리와 정의, 양심을 버리지 않는다. 빵 한 쪽을 나눠 더 큰 반쪽을 동생에게 주는 형, 비참함 속에서 양심을 지키는 장 발장이 바로 레 미제라블이다. 나는 레 미제라블이에요! 이 말은 위대한 인간 선언인 것이다. -≪한겨레신문≫, 2013년 2월 1일-

- 고등학교 국어

【나】 오늘날 국가는 국민 주권에 근거하여 국민의 생명과 자유 등 기본권을 보장하고, 경제적 불평등을 해소하여 최소한의 인간다운 삶을 실현하며, 국민의 도덕성과 시민성을 고양하여 도덕적인 삶을 살 수 있도록 해야 한다. 이러한 국가의 노력을 통해 자유 민주주의를 바탕으로 한 복지 국가를 이룰 수 있으며, 비로소 국가는 그 정당성을 인정받을 수 있다.

- 고등학교 윤리와 사상

【다】 스웨덴은 척박한 땅과 혹독한 겨울로 인해 사람들이 돌밭을 일구다가 지치면 포기하고 떠나 버렸던 나라였다. 제2차 세계대전 직후 당선된 45세의 총리 에를란데르(Erlander, T., 1901~1985)는 다 함께 성장하는 경제에 대한 신념을 지니고 있었다. 일단 그는 23년간 매주 목요일 저녁마다 기업 대표 및 노조 대표와 한 자리에 모여 대화하였다. 그 사이 파업은 완전히 사라졌다. 또한 그는 육아, 의료, 교육, 주거 등과 같은 문제가 국민의 발목을 잡지 않아야, 한 개인과 나라가 최대한 성장할 수 있다고 보았다. 그래서 아동 수당, 전 국민 무상 의료보험, 초등학교에서 대학원 박사과정까지 무상교육, 주택 수당법 등을 실현하였다. 이를 위해 그는 수년 동안 국민을 설득하였으며 모두가 수긍할 때까지 끝장 토론을 벌였고, 합의에 이르는 모든 과정을 국민에게 공개하여 국민이 자발적으로 지갑을 열게 하였다. 스웨덴은 국민이 세금을 가장 많이 내는 국가이다. 하지만 아이를 돌봐야 하는 여성들, 몸이 불편한 사람들, 노동자 등 모두가 동등한 기회를 가지며 각자의 능력을 발휘하여 오늘날 세계에서 가장 잘 사는 국가가 되었다. "국가는 모든 국민을 위한 좋은 집이 되어야 한다."라고 주장했던 에를란데르 총리는 1969년 정치은퇴를 선언했다. 그러나 당시 그에게는 여생을 보낼 자기 집 한 채도 없었다.

- 고등학교 윤리와 사상

【라】 전 지구적 수준의 문제를 해결하기 위해서 가장 중요한 것은 개인이 사고의 범위를 자신이 속한 국가에 한정시키지 않는 데에 있다. 다시 말해 자신이 어느 한 국가의 구성원이기 이전에 세계 시민사회의 일원임을 깨닫는다면 더욱 폭넓은 시각으로 전 지구적 수준의 문제에 대응할 수 있고, 현재의 이익 추구에만 급급하지 않고 장기적 안목으로 바라볼 수 있다.

국가도 마찬가지이다. 자본주의적 경제논리만을 앞세워 경제적 효율성을 최우선 가치로 삼는다면 전 지구적 수준의 문제를 해결하기 위한 국제적 공조에 참여하기 어렵다. 국가적 이익을 앞세우기 전에 세계를 하나의 공동체로 인식하고 전 지구적 수준의 문제해결에 적극적으로 협조하기 위한 노력이 매우 중요하다.

개인과 국가가 이 같은 노력을 기울이기 위해서는 지속 가능한 사회에 대한 이해가 필요하다. 지속 가능한 사회란 한 세대의 필요를 충족함에 있어 미래 세대의 필요를 충족시킬 수 있는 범위를 고려하여 발전을 추구하는 사회를 말한다.

- 고등학교 사회·문화

【마】 범지구적 세계화 물결 속에서 사회 복지 측면이나 민주주의 측면 그리고 생태계 측면 모두에서 20대 80의 사회가 다가오고 있다. 각 나라에서 그리고 지구촌 전

체에서 오로지 20%의 사람들만이 좋은 일자리를 가지고 안정된 생활 속에서 자아실현을 할 수 있으며, 그 나머지 80%의 대다수는 실업자 상태 또는 불안정한 일자리와 싸구려 음식 그리고 대중 매체에서 뿜어내는 상업적 대중문화 속에서 그럭저럭 살아나가야 한다. 이들 대다수는 소수가 생산해 내는 부에 의존하여 먹고 살아야 한다. 분명 이것은 지구촌의 평범한 사람들, 우리 모두에게 해당되는 심각한 문제임에 틀림없다. -한스 페터 마르틴·하랄트 슈만, 세계화의 덫 -

- 고등학교 사회·문화

[문제 3] 제시문 【가】에서 '위대한 인간 선언'이 의미하는 깃과 그것이 위대한 이유를 설명하고, 【나】를 바탕으로 【다】에 나타난 국가(스웨덴)의 정당성에 대해 서술하시오. 그리고 앞에서 답한 내용과 【라】를 활용하여, 【마】의 문제를 해결하기 위해 '개인과 국가'가 기울여야 할 노력과 그 이유를 서술하시오.

<550 ~ 700자> [40점]

# 5. 2023학년도 동국대 수시 기출 (인문계열 Ⅱ)

※ 다음 제시문을 읽고 물음에 답하시오.

【가】 사회 구성원의 행위가 정상적인가 아닌가를 판단하는 기준이 되는 법이나 도덕 등을 사회 규범이라고 하는데, 이러한 사회 규범에 어긋나는 행위를 일탈 행동이라고 한다. 즉 일탈 행동은 사회 구성원이 용인할 수 있는 범위를 벗어나는 행동이다.

일탈 행동을 판단하는 기준은 시대의 변화에 따라 달라진다. 우리나라에서 1970년대에는 여성이 짧은 치마를 입고 다니는 것을 단속하였지만, 오늘날은 그렇지 않다. 또한 일탈 행동을 규정하는 기준은 장소와 사회에 따라 달라지기도 한다. 여성이 남성과 같이 교육을 받는 것이 우리나라에서는 아무런 문제가 되지 않지만, 일부 이슬람 국가에서는 일탈 행동이 되기도 한다. 이처럼 일탈 행동은 상황에 따라 다르게 규정되는 상대성을 지닌다.

일탈 행동은 한 사회가 요구하는 규범의 범주에서 벗어나는 행동이라는 점에서 부정적으로 평가된다. 일탈 행동은 개인적 문제에 그치는 경우도 있지만, 이로인해 직간접적으로 사회 구성원들에게 영향을 주어 사회적인 문제로 확산되는 경우도 있다. 예를 들어 중요한 사회 규범에 대한 위반 행위가 만연하게 되면 사회 조직이 해체되고, 사회 질서가 붕괴됨에 따라 사회 구성원들이 안정적으로 사회생활을 하기 어려워진다. 또한 일탈 행위를 통제하는 데 많은 비용이 소요되므로 사회적 자원을 낭비하는 결과를 초래하기도 한다.

하지만 일탈 행동이 모두 부정적인 영향을 미치는 것은 아니다. 개인적 차원에서 보면, 일탈 행동은 사회적 억압에서 벗어나 개인의 창의성을 발휘하는 통로가 될 수도 있고, 축적된 욕구 불만을 해소해 줌으로써 그보다 더욱 심각한 무질서를 예방해 주는 역할을 하기도 한다. 사회적 차원에서 보면, 일탈 행동은 사회 조직의 결함이나 사회 문제를 표면화하여 이를 해결해 나감으로써 사회가 더욱 발전하도록 하는 역할도 한다. 따라서 우리는 일탈 행동을 비판적 시각으로 바라봄으로써 우리 사회에 존재하는 모순을 파악하고 극복함과 동시에 사회를 안정적으로 유지하기 위하여 노력해야 한다.

- 「고등학교 사회·문화」-

【나】 카니발(Carnival)은 '사육제', 즉 육식에 감사하는 축제를 의미하는 말이었다. 전통적으로 가톨릭에서 육식을 금하는 사순절이 시작되기 전에 마음껏 즐기려는 생각에서 시작된 축제이다. 현대의 사육제들은 애초의 종교적 의미가 퇴색되면서, 가면이나 화상으로 분장하고 기괴한 옷차림을 한 사람들이나 대형 인형들을 앞세워 거리를 행진하는 등 화려한 볼거리 중심의 축제로 바뀌었다.

과거 신분제 시대에는 사육제가 벌어지는 동안에 모든 일이 허용되었다. 이 기간 동안하인은 주인이 되고, 주인은 하인이 되어 음식을 준비하면서 기존의 가치관과 규율이 뒤바뀌었다. 그리고 신분을 감추기 위해 남녀 모두는 서로 알아볼 수 없도록 가면, 가발, 짙은 화장, 화려한 옷과 장식 등을 하였고, 귀족과 서민은 서로의 신분을 숨기면서 일탈의 즐거움을 마음껏 맛볼 수 있었다. 이러한 일탈 행동들은 일상생활을 지속할 수 있게 하는 활력소로 기능하기도 하였다.

- 「고등학교 사회·문화」 -

【다】 부현(傅玄)이 편찬한 『태자소부잠(太子少傅箴)』에 '근묵자흑(近墨者黑) 근주자적(近朱者赤)'이라는 구절이 나온다. 검은 것을 가까이하면 검어지고, 붉은 것을 가까이하면 붉어진다는 뜻이다. 사람도 주위 환경이나 친구의 성향에 따라 변할 수 있다. 훌륭한 스승이나 모범적인 친구를 만나면 그 행실을 보고 배워 자연스럽게 스승이나 친구를 닮게 되고, 나쁜 무리와 어울리면 보고 듣는 것이 언제나 그릇된 것뿐이니 자신도 모르게 그릇된 방향으로 나아가게 된다는 것을 일깨운 고사성어이다.

또한, 공자가 말한 '지란지교'는 "착한 사람과 함께 있으면 마치 향기가 그윽한 난초가 있는 방에 들어간 것과 같아서, 그와 함께 오래 지내면 비록 그 향기는 맡을 수 없게 되지만, 자연히 그에게 동화되어 착한 사람이 된다. 그러나 악한 사람과 같이 있으면 마치 악취가 풍기는 절인 어물을 파는 가게에 들어간 것과 도 같아서, 그와 함께 오래 지내면 비록 그 악취는 맡지 못하더라도, 그에게 동화되어 악한 사람이 된다."라는 내용이다. 이는 어떤 사람과 교제하느냐에 따라 일탈 행동의 발생 가능성이 달라질 수 있음을 의미한다.

- 「고등학교 사회·문화」 -

【라】 아노미 이론은 일탈 행동의 원인을 아노미 상태에서 찾는다. 뒤르켐(Durkheim, E)은 급격한 사회 변동으로 기존의 사회 규범이 약화하였으나, 이를 대체할 새로운 규범이 확립되지 못함으로써 무규범 상태가 나타나 일탈행동이 발생한다고 보았다. 머튼(Merton, R. K.)은 부와 명예 등 문화적 목표를 달성하고 싶으나, 그것을 달성할 수 있는 제도적 수단이 없을 때 일탈 행동이 발생한다고 보았다.

차별 교제 이론에서는 일탈 행동이 다른 사람들과 상호 작용하면서 학습된다고 주장한다. 이 이론은 일탈 행동을 하는 집단과 지속적으로 접촉하며 일탈 행동의 방법과 일탈 행동을 정당화하는 가치관을 학습하게 된다고 본다. 이 이론에 의하면, 개인의 일탈 행동 여부는 어떤 사람들과 주로 상호 작용을 하느냐에 달려 있다.

낙인 이론에서는 일탈 행동의 상대성을 강조하며 처음부터 일탈 행동의 의미가 있는 행동은 없다고 본다. 이 이론에 따르면, 특정 행동이 일탈 행동으로 규정되는 것은 그 행동에 대한 사람들의 반응에 달려 있다. 또한, 개인이 일탈 행위자가 되는 과정도 마찬가지이다. 특정 개인의 1차적 일탈에 대하여 사람들이 낙인을 찍으면 그의 행동 선택의 자유가 위축되고 부정적인 자아가 형성됨으로써 2차적 일탈을 저지르게 되는 것이다.

- 「고등학교 사회·문화」 -

[문제 1] 제시문 【가】를 근거로 【나】의 사례에서 나타나는 긍정적 기능을 서술하고, 【라】를 참고하여 【다】의 사례를 설명하시오.

※ 다음 제시문을 읽고 물음에 답하시오.

【가】 공공재는 여러 사람이 공동으로 사용할 수 있는 재화로, 다른 재화나 서비스와 달리 소비의 비경합성과 비배제성을 가진다. 이러한 공공재의 특성 때문에 공공재를 소비하려는 사람들은 비용을 지불하려고 하지 않는다. 왜냐하면 대가를 지불하지 않더라도 소비에서 배제할 수 없고, 자신의 소비가 다른 사람의 소비를 방해하지도 않기 때문이다. 이렇게 공공재는 언제든지 누구나 대가를 지불하지 않고 소비할 수 있기 때문에 기업은 공공재의 생산으로는 수익을 얻을 수 없으므로 공공재 생산에 참여하지 않는다. 그 결과 공공재는 사회적으로 꼭 필요한데도 시장에서 제대로 생산되지 않는다. 이는 공공재 생산에 자원이 필요한 만큼 배분되지 않는다는 것을 뜻한다.

- 고등학교 경제』

【나】 공공재에 무임승차를 한다는 것은 자기가 속한 공동체의 이익을 무시하고 개인적인 이익만을 취하려고 행동한다는 뜻이다. 완벽하게 합리적이고 이기적인 사람, 즉 호모 에코노미쿠스라면 당연히 이기적 행동을 하게 된다. 그러나 무임승차를 할 수 있는 상황이라 해서 사람들이 언제나 무임승차를 하려고 할까? 이 의문에 대한 답을 얻기 위해 다음과 같은 실험을 해 볼 수 있다. 우선 일정한 수의 사람들로 하나의 집단을 만든다. 그런 다음 그 집단의 각 사람에게 일정한 수의 표를 배분한다. 예를 들어 10명으로 하나의 집단을 만든 다음, 각 사람에게 50장씩의 표를 배정한다고 하자. 각 사람이 이 표를 어떻게 사용하는지를 보는 것이 이 실험의 내용이다.

각 사람은 자신에게 배정된 50장의 표를 '개인'이라 씌어 있는 흰색 상자와 '공공'이라고 씌어 있는 푸른색 상자에 나누어 넣게 된다. 어떤 사람이 표 1장을 흰색 상자(개인)에 넣으면 실험이 끝난 후 그 사람은 천원을 받게 된다. 반면에 표 1장을 푸른색 상자(공공)에 넣으면 그 집단에 속하는 모든 사람이 5백 원씩 받게 된다. 만약 내가 가진 표 50장 전부를 흰색 상자에 넣으면 나는 실험이 끝난 후 5만원을 주머니에 넣을 수 있다. 그러나 나로 인해 다른 사람이 얻을 수 있는 금액은 0원이다. 그런데 내가 50장 전부를 푸른색 상자에 넣으면 내가 얻게 되는 돈은 2만 5천원으로 줄어든다. 반면에 다른 구성원들도 나로 인해 모두 2만 5천원씩의 돈을 얻게 된다. 다른 사람이 푸른색 상자에 표를 1장씩 넣을 때마다 나에게 5백원씩의 돈이 생긴다는 것은 두말할 나위가 없다. (……) 조건을 조금씩 달리해서 여러 번 실험을 거듭해 보았지만, 사람들이 가진 표를 전부 흰색 상자에 넣는 경우는 거의 눈에 띄지 않았다. 평균적으로 자신이 가진 표의 40퍼센트에서 60퍼센트에 이르는 표를 푸른색 상자에 넣는 것으로 드러났다.

- 고등학교 독서』

【다】 13종의 핀치(finch)는 각자 처한 환경에 따라 작은 곤충, 큰 곤충, 날아다니는 곤충, 나무껍질 안쪽에 숨어 있는 곤충, 딱딱한 씨앗과 부드러운 열매 등 종마다 다양한 먹잇감을 택하는 전략을 취했다. 그래서 같은 먹이 사슬 안에서 종끼리 경쟁할 필요 없이 제한된 서식지 안에서 더 많은 수의 핀치가 살아갈 수 있었다. 이처럼 진화의 가장 큰 무기는 다양성의 증가다. (……) 다양한 생물 종이 아무리 제각각 다양

한 자원을 나누며 살아간다고 해도, 생물의 가짓수에 비해 자원의 가짓수는 적을 수밖에 없다. 따라서 같은 자원을 놓고 여러 종이 경쟁해야 하는 일을 피할 수 없다. 그러나 이런 상황에서도 서로 다른 종을 없애고 모든 자원을 차지하기 위해 욕심을 부리지는 않는다. 아니, 실제로 많은 생물 종은 서로를 내쫓기 위해 싸움을 벌이기보다는 서로 공존하는 방식을 찾고는 한다. 이러한 다양한 예를 들며 실제로 경쟁보다는 공생이 진화의 원동력이라고 주장하는 학자도 많다. 여성 생물학자 린 마굴리스는 공생 진화론을 주장하는 학자의 한 사람이다. 공생 진화론에 따르면, 생명체는 한정된 자원을 놓고 서로 경쟁하기보다는 한발 물러서서 상부상조 전략을 추구한다.

- 고등학교 독서』

【라】 공동체주의에서는 정의를 공동체 가치와 연관 지어 바라본다. 공동체주의는 인간의 삶에서 공동체가 가지는 의미를 중시하는 사상으로, 개인이 공동체의 영향을 받으며 소속감과 정체성을 형성해 나가는 존재임을 강조한다. 공동체주의에 따르면 개인은 자신이 속한 공동체가 올바로 유지되고 발전할 때 좋은 삶을 살아갈 수 있으므로, 공동체의 발전을 위해 노력해야 할 의무를 지닌다. 따라서 공동체주의에서는 개인이 속한 공동체의 공동선을 실현하는 것이 정의롭다고 본다. 즉 공동체는 공동체 속의 개인이 사회적 유대감과 책임감, 배려와 사랑 등의 공동체적 가치를 함양하고 공동체가 공유하는 좋은 삶의 모습을 추구하도록 장려해 왔다.

- 고등학교 통합사회』

[문제 2] 제시문 【가】를 바탕으로 공공재 무임승차 문제의 원인을 기술하시오. 그리고 이와 관련하여 【나】의 실험 결과를 요약하고, 【다】와 【라】를 바탕으로 이러한 실험 결과가 나온 이유를 설명하시오.

※ 다음 제시문을 읽고 물음에 답하시오.

【가】 담론 윤리의 대표자인 하버마스는 개인의 주관적 도덕 판단만으로는 규범이 성립될 수 없으므로 대화가 필요하다고 주장한다. 대화의 당사자들이 합의한 결과를 수용하고 그것을 의무로 받아들이기 위해서는 대화가 합리적인 의사소통의 과정을 거쳐야만 한다. 그래서 그는 합리적인 대화가 이루어지기 위한 과정을 중시한다. (……) 하버마스는 공론장을 이성의 공적 사용을 전제로 모든 시민이 아무런 제한 없이 자유롭게 토론에 참여함으로써 공공의 이익과 관련된 문제를 논의하고 여론을 형성하는 사회적 삶의 한 영역으로 규정하고 있다. 즉 하버마스는 공론장이야말로 시민이 자유롭게 참여하는 대화의 과정을 통해 여론을 형성하는 사회생활의 영역으로 보았다. (……) 시민이 공론의 장에서 사회적 쟁점을 깊이 있게 토론하고 심의하는 역할을 한다. 서로 다른 이해관계를 가진 시민과 전문가 및 대표자가 공공성을 추구하는 정책을 만들 수 있다.

- 고등학교 생활과 윤리

【나】 흄(D. Hume, 1711~1776)에 따르면 이성은 행위의 동기를 제공하지 못하며, 이성의 능력인 지성은 그 자체로는 우리가 실천할 수 있게 만드는 힘을 가지고 있지 않다. 다만 이성은 바람직한 행위의 방향을 제시할 뿐이며, 감정만이 의지에 영향을 미쳐 우리가 도덕적 행위를 하게 만든다. 따라서 도덕적 활동은 지적 판단에 의한 것이 아니라, 어떤 것에 대한 시인(是認)의 감정이나 부인(否認)의 감정에 의해 결정된다. 물론 시인의 감정과 부인의 감정은 개인들 각자의 주관적 감정이라기보다는 우리가 공통으로 느끼는 사회적인 감정들이다.

- 고등학교 윤리와 사상

【다】 개인의 합리적 선택은 최소의 비용으로 최대의 편익을 얻을 수 있는, 즉 자신에게 가장 이득이 되는 것을 선택하는 것을 말한다. 어떤 목표를 가장 효율적으로 달성할 수 있는 선택이다. 따라서 개인이 각자 합리적 선택을 하면 개개인의 만족감이 커지므로 사회 전체의 효용도 커진다고 볼 수 있다. (……) 하지만, 각자 자기에게 가장 이익이 되는 쪽으로 선택하는 과정에서 개인 간 이익이 충돌하거나 공익을 해치는 경우가 나타나기도 하고, 개인이나 기업이 비용을 줄이려고 노력하는 과정에서 사회 규범을 어겨 문제가 되기도 한다.

- 고등학교 통합사회

【라】 세대 간 정의 문제란 현재 세대에 살고 있는 인류가 미래 세대의 인류를 위해 어떠한 도덕적·법적 의무를 부담할 수 있는가의 문제를 의미한다. 세대 간 정의의 문제들 중에서 국민연금 수익률의 차이로 인한 세대 간 분배의 불균형 문제에 주목할 필요가 있다. 고령 사회기 되면서 국민연금 수급자 수가 증가하여 연금 관련 지출이 늘어났다. 그러나 출산율 저하에 따른 경제 활동 인구의 감소로 국민연금 지출을 충당할 수 있는 재원은 부족해진다. 이에 따라 젊은 세대는 자신들의 국민연금 수익률이 축소되는 것을 헌법상 평등 원칙에 반하는 것으로 주장하고 있다. (……) 지금이라도 우리나라는 세대 간 정의를 확립하기 위해 공적 토론과 논의를 시작해야 할 때이다.

- 고등학교 통합사회

【마】 개인은 자신의 권리를 능동적으로 행사하고, 만약 권리를 침해당했다면 그 권리를 구제받기 위해 적극적으로 노력해야 한다. 일상생활을 하다 보면 부당한 정책이나 제도 때문에 차별이나 고통을 받는 상황이 생길 수 있다. 이 경우 우리는 민원 제기, 청원 운동 등 헌법과 법률이 보장하고 있는 시민 참여 방법들을 통해 부당한 정책이나 제도의 개선을 요구할 수 있다.

- 고등학교 통합사회

【바】 정의롭지 못한 법들이 존재한다. 우리는 그 법을 준수하는 것으로 만족할 것인가, 아니면 그 법을 개정하려고 노력하면서 개정에 성공할 때까지는 그 법을 순수할 것인가, 아니면 당장이라도 그 법을 어길 것인가? 사람들은 일반적으로, 지금과 같은 정부 밑에서는 다수를 설득하여 법을 개정할 수 있을 때까지는 기다려야 한다고 생각한다. 그들은 만약 저항한다면 치료가 병보다 더 나쁠 것이라고 생각한다. 그러나 치료가 병보다 더 나쁜 것은 정부의 잘못이다. 정부가 치료를 더 나쁜 것으로 만드는 것이다. (……) 왜 정부는 현명한 소수를 소중히 여기지 않는가? 왜 정부는 상처도 입기 전에 야단법석을 떨며 막으려 드는가? 왜 정부는 시민들로 하여금 방심하지 않고 항상 정부의 잘못을 지적하며, 정부가 기대하는 이상으로 시민들이 잘하도록 격려하지 않는가? - 헨리 데이비드 소로, 『시민의 불복종』-

- 고등학교 통합사회

[문제 3] 제시문 [나]와 [다]에서 나타난 개념들을 바탕으로 [가]에서 주장하는 바의 한계점을 설명하시오. 이러한 한계점을 토대로 [라]의 사례가 해결되지 않은 이유를 설명하고, [마]와 [바] 각각의 입장에서 [라]의 문제를 해결하는 방안을 제시하시오.

# 6. 2023학년도 동국대 모의 논술 (인문계열)

※ 다음 제시문을 읽고 물음에 답하시오.

【가】 애덤 스미스는 자유무역주의를 주장하면서 다음을 이야기하였다. "곡물을 영국에서보다 프랑스에서 저렴한 비용으로 생산하여 공급할 수 있다면, 프랑스의 곡물을 수입해 국민의 복지 수준을 향상할 수 있습니다. 또 영국도 프랑스와 비교하여 좀 더 저렴한 비용으로 공급할 수 있는 산업에 특화한다면 그 생산품의 대가로 값싼 상품을 외국에서 구매하는 것이 이득일 것입니다."

반면, 프리드리히 리스트는 다음과 같은 주장을 펼쳤다. "나라마다 발전단계는 서로 다릅니다. 이러한 상황에서 국가 간에 자유 무역이 시행되면 공산품이 발달한 국가의 상품이 공업이 덜 발달한 국가에 유입되어 공업이 덜 발달한 국가는 다음 단계로 발전하지 못합니다. 따라서 이러한 피해를 막고 우리나라의 발전을 위해 산업이 일정 수준에 이를 때까지는 보호 무역을 시행해야 하지 않을까요?"

- 고등학교 경제

【나】 영국은 2016년 6월 국민투표를 통해 유럽연합 탈퇴(Brexit)를 확정하였다. 이에 따라 프리미어리그(영국 잉글랜드의 축구 1부 리그)는 운영에 어려움을 겪을 것으로 예상된다. 영국이 유럽연합에서 탈퇴하면 유럽연합 회원국 출신 선수가 프리미어리그에서 선수로 뛰기 위해서 '취업 허가'를 받아야 한다. 그런데 이 취업 허가는 '출신 국가의 국제 축구 연맹(FIFA) 랭킹에 따라 해당 국가의 국가 간 경기(A매치)에 얼마나 참여하여 뛰었는지'를 조건으로 하고 있다. 이러한 까다로운 조건으로 인해 유명한 축구 선수들을 프리미어리그에서 볼 수 없을지도 모른다. 또 프리미어리그에 대한 해외 축구 팬의 관심도 적어지고, 축구 중계로 벌어들이는 수입도 줄어들 것이다. 영국의 유럽연합 탈퇴는 축구를 비롯하여 영국의 정치, 경제, 사회 모든 부분에 큰 충격을 줄 뿐 아니라, 다른 회원국에도 영향을 끼칠 것이다.

- 고등학교 세계사 천재교육

【다】 1980년대 말부터 전 세계에서 무역 경쟁이 심해지고 지역적 경제 블록화가 급속하게 진행되었다. 이에 대항해 아시아, 태평양 연안 국가들은 지속적인 경제 협력의 필요성을 깨닫고, 아시아 태평양 경제 협력체(APEC)를 만들었다. (1989)

- 고등학교 세계사

【라】전 세계가 자발적으로 자유무역에 참여하면 무역의 이익을 얻을 수 있다. 그러나 현실적으로 각국 정부는 무역을 규제하는 보호 무역을 시행하기도 한다. 보호 무역 정책의 내표석인 형태는 관세이며, 이 외에노 수입 할당세, 수출 보소금시급 등의 수단이 이용된다. 최근에는 녹색 보호 무역주의라는 환경과 관련한 기술적 규제도 보호 무역의 수단으로 사용하고 있다.

- 고등학교 경제

[문제 1] 【가】의 내용을 토대로 【나】와 【다】의 사례를 자유무역 또는 보호무역의 개념으로 적용하여 설명하고 【라】의 내용으로 보호무역주의를 비판하시오.

<320~400자> [30점]

※ 다음 제시문을 읽고 물음에 답하시오.

【가】 현대 사회의 대중은 의무 교육과 대중 매체 이용 등을 통해 자신이 속한 사회에 대해 충분한 지식과 참여를 위한 역량을 갖추고 있다. 또한 민주주의 정치 과정의 주체로서 정치 과정에 참여하여 자신이 원하는 바를 선택할 권리를 가지고 있다. 따라서 대중이 현재의 민주주의를 옹호하는 것은 물론 나아가 정치 참여를 통해 공동체의 중요 문제를 결정하는 것은 당연하다. (.....) 대중은 충분히 숙고하지 않고 충동적으로 의사 결정을 내리고 그 의사 결정에 따른 정치적 선택에 대해 책임을 지지 않는 경향이 있다. 따라서 공동체의 중요한 문제를 결정할 때에는 대중보다 합리적인 사고력을 가진 엘리트들에게 맡기는 것이 적절하며, 대중의 정치 참여는 일정 범위에서만 인정하여야 한다.

- EBS 수능완성, 사회탐구영역 | 정치와 법

【나】 개인의 합리적 선택*은 어떤 목표를 가장 효율적으로 달성할 수 있는 선택이다. 따라서 개인이 각자 합리적 선택을 하면 개개인의 만족감이 커지므로 사회 전체의 효용도 커진다고 볼 수 있다. (.....) 하지만, 각자 자기에게 가장 이익이 되는 쪽으로 선택하는 과정에서 개인 간 이익이 충돌하거나 공익을 해치는 경우가 나타나기도 하고, 개인이나 기업이 비용을 줄이려고 노력하는 과정에서 사회 규범을 어겨 문제가 되기도 한다.

* 합리적 선택이란 최소의 비용으로 최대의 편익을 얻을 수 있도록 즉 자신에게 가장 이득이 되는 것을 선택하는 것을 말한다.

- 고등학교 통합 사회 , 고등학교 경제

【다】 롤스의 "만민법"에 따르면, 시민들이 정치적 문제들과 관련하여 심의할 때, 그들은 의견을 교환하고 자신들이 지지하는 근거들을 토론한다. 이들은 자신들의 정치적 의견이 다른 시민들과 토론하면서 수정될 수 있음을 가정한다. 따라서 이러한 의견들은 단순히 자신들에게 있는 사적이거나 비정치적인 이익에서 나온 고정된 결과가 아니다. 이 지점에서 공적 이성은 아주 결정적이다. 왜냐하면 공적 이성은 헌법적 본질과 기본적 정의에 관하여 시민들이 사고할 때 바로 그 특징을 보여주기 때문이다.

- EBS 수능완성, 사회탐구영역 | 윤리와 사상

【라】 하버마스는 공론장을 이성의 공적 사용을 전제로 모든 시민이 아무런 제한 없이 자유롭게 토론에 참여함으로써 공공의 이익과 관련된 문제들을 논의하고 여론을 형성하는 사회적 삶의 한 영역으로 규정하고 있다. 즉 하버마스는 공론장이야말로 시민이 자유롭게 참여하는 대화의 과정을 통해 여론을 형성하는 사회생활의 영역으로 보았다. (.....) 시민이 공론의 장에서 사회적 쟁점을 깊이 있게 토론하고 심의하는 역할을 한다. 서로 다른 이해관계를 가진 시민과 전문가 및 대표자가 공공성을 추구하는 정책을 만들 수 있다.

- 고등학교 생활과 윤리 , EBS 수능완성, 사회탐구영역 | 생활과 윤리

[문제 2] 제시문 【가】와 【나】는 대중의 정치 참여와 그 문제점에 대해 설명하고 있다. 제시문 【가】와 【나】에서 나타난 문제점을 바탕으로 제시문 【다】와 【라】의 주장을 비판하시오.

<320~400자> [30점]

※ 다음 제시문을 읽고 물음에 답하시오.

【가】 도덕적 추론은 삼단논법과 유사한 추론의 과정을 거친다. 우리는 "모든 사람은 죽는다"라는 대전제와 "소크라테스는 사람이다"는 소전제로부터 "소크라테스는 죽는다"라는 결론을 추론할 수 있다. 이와 유사한 추론의 과정으로 도덕 판단을 내릴 수 있다. 예를 들어 인공 임신중절에 대한 도덕 판단을 다음과 같이 할 수 있다.

도덕 원리: 무고한 인간을 죽이는 것은 도덕적으로 그르다 (대전제)
사실 판단: 대이는 무고한 인간이디 (소전제)
도덕 판단: 태아를 죽이는 인공 임신중절은 도덕적으로 그르다 (결론)

이처럼 우리는 다양한 윤리 문제에 대해 도덕 원리를 바탕으로 사실 판단을 거쳐 도덕 판단을 내릴 수 있다.
　올바른 도덕 판단을 위해서는 비판적 사고가 필요하다. 먼저 사실 판단의 진위를 검토해 보아야 한다. 도덕 판단의 과정에서 사실 판단의 참과 거짓은 경험적 탐구 방법을 통해 비교적 쉽게 확인할 수 있다. 다음으로 도덕원리에 대한 검토가 필요하다. 도덕 원리는 가치의 문제에 속하며 개인 간에 차이가 있을 수 있으므로 문제의 도덕 원리가 정당화될 수 있는지 비판적으로 검토해 보아야 한다.

- 고등학교 생활과 윤리

【나】 전통적으로 책임은 이미 행해진 행위나 그 결과를 묻는 과제 지향적 개념이었다. 그러나 책임 윤리적 접근에서는 하지 않은 행위와 해야 할 행위에 대한 책임까지 더욱 다양한 유형의 책임을 강조한다. 즉 행위나 행위의 결과에 대한 책임은 물론, 부여된 과제나 역할에 대한 책임과 보편적이고 도덕적인 책임까지 강조하는 것이다. 이뿐만 아니라 책임의 범위와 대상도 개인을 넘어 집단 미래 세대, 동물, 생태계 등 시공간적으로 확장된다. 이 접근은 당면한 윤리 문제를 책임의 관점에서 누가, 무엇을, 누구에게, 왜, 어떻게 책임을 져야 하는지에 대한 규정을 통해서 해결하고자 한다.
　배려 윤리적 접근은 수용성, 관계성, 응답성에 근거한 사랑과 모성적 배려를 강조한다. 이 관점에서는 개인의 권리를 보호하고 사회 정의를 실현하는 것도 중요하지만, 서로 배려하는 마음을 통하여 따뜻한 인간관계를 맺는 것도 중요하다고 본다. 그래서 배려 윤리학자들은 무엇보다도 사람들 사이의 관계, 즉 다른 사람을 보살피고 배려하는 공동체적 관계에 주목한다. 따라서 배려를 해야 하는 상대방이 처해 있는 문제 상황과 구체적인 요구를 살펴야 한다고 주장한다.

- 고등학교 생활과 윤리

【다】 합리적 소비의 한계를 인식하고 이를 보완하는 과정에서 윤리적 소비가 등장한다. 윤리적 소비는 소비자의 영향력 확대와 다양한 사회 문제에 대한 관심 속에서 도덕적 가치에 따라 재화나 서비스를 구매하고 사용하며 처리하는 소비이다. 합리적 소비에 비해 도덕적 가치 실현을 중시하고 경제 활동 전반의 윤리성에 관심을 가진다.

또한 개인의 욕구 충족뿐만 아니라 타인과 사회를 고려하며 인간만이 아니라 동물의 복지와 권리, 더 나아가 환경까지 고려한다.
- 고등학교 생활과 윤리

【라】 어느 추운 겨울날, 뮌헨의 한 공원 연못에서 놀던 아이들이 얼음이 깨져 사망한 사건이 발생하였다. 세 명의 아이가 1.3m 정도의 낮은 깊이의 물속에 빠졌지만 구하려는 사람은 없었다. 당시에 많은 사람이 주변을 산책하고 있었지만, 그냥 무심하게 지나쳐 버렸다. 구급차가 뒤늦게 도착했지만 결국 그 아이들을 살릴 수 없었다.
-렝크(Lenk. H.), 구체적 인간성 -
- 고등학교 생활과 윤리

【마】 "일 실링 육 펜스에 가져가세요, 나리!"
(……) 한 남자가 황급히 주머니를 뒤져 일 실링 육 펜스를 꺼내 던졌다. 따라오던 한 늙은 원주민이 숨을 헐떡거리며 마른 발가락으로 모랫바닥을 세차게 차 내면서 사자상을 던져 주었다. (……) 늙은 원주민은 갈빗대 사이로 가쁜 숨을 몰아쉬며 서 있었다. (……) 무언가를 받는 자세로 떠받쳐진 손바닥에는 조각품의 값으로 받은 일 실링 육 펜스가 놓여 있었다. (……)
"자, 이걸 보시라"
그가 사자상을 흔들며 말했다.
"일 실링 육 펜스에 샀어."
"뭐라구요?"
그녀가 어이가 없는 듯 말했다.
"장난삼아 마지막으로 흥정을 했지. 그랬더니 기차가 막 떠나려고 할 때 그 노인이 기차를 따라오며 일 실링 육 펜스에 가져가라고 하더군." (……)
여자는 조각상을 받아들었다. (……) 여자는 마치 다른 어떤 것을 생각하듯 초점을 잃은 두 눈으로 조각상을 바라보았다. 생각대로 일이 잘되어 가지 않을 때 아이들이 짓는 표정처럼 여자는 얼굴을 찡그리고 있었다. (……)
"당신 어떻게 그럴 수가 있죠?"
여자의 얼굴에 분노의 빛이 역력했다.
"뭐가, 도대체 왜 그래?"
당황한 남편이 물었다.
"이걸 그렇게 사고 싶었으면……."
흥분한 여자이 목소리가 날카롭게 갈라졌다.
"왜 처음부터 사지 않고 그렇게 뜸을 들였죠? 왜 기차가 떠날 때까지 기다렸다 샀나 말이에요. 그것도 일 실링 육 펜스에 말이죠."
여자는 사자상을 남편에게 떠다밀었다.
"이거 당신이 갖고 싶어 했던 것 아니야? 무척 맘에 들어 했잖아."
"물론이에요. 그렇지만 이건 아주 훌륭한 조각품이라구요."
여자는 마치 조각품을 보호하려는 것처럼 맹렬하게 말했다.

"당신이 이 조각품이 아주 맘에 드는데 너무 비싸다고 혼자서 중얼거리는 소리를 들었다구."

"이봐요."

여자가 참을 수 없다는 듯이 격하게 말을 내뱉었다.

"당신……."

여자는 사자상을 바닥에 내동이쳐 버렸다.

남편은 망연자실 여자를 바라보고 서 있을 뿐이다.

여자는 모퉁이에 앉아 두 손으로 얼굴을 감싸 쥔 채 창밖을 무표정하게 응시했다. 깃 가지 생각들이 그녀의 머릿속에서 교차하는 것 같았다. 일 실링 육 펜스라! 나뭇조각과 다리의 근육과 채찍 같은 꼬리를 사는 데 일 실링 육 펜스라! 그렇게 늠름하게 벌려져 있는 입과 파도처럼 말려 있는 검은 혀에 그토록 정교한 목의 갈기까지 얻는 데 일 실링 육 펜스라! 분노로 인한 열기가 여자의 다리를 타고 목까지 올라와 귀에 모래를 쓸어 내는 소리를 쏟아부었다.

-네이딘 고디머, 「로디지아발 기차」

- 고등학교 문학

[문제 3] 제시문 【가】, 【나】를 바탕으로 제시문 【라】, 【마】에 대한 도덕적 판단을 하고, 【라】사건의 윤리적 문제점을 제시문 【나】의 관점에서, 그리고 제시문 【마】에서 아내가 남편에게 보이는 태도의 이유를 제시문 【다】의 관점에서 각각 설명하시오.

<600~700자> [40점]

# 7. 2022학년도 동국대 수시 기출 (인문계열 Ⅰ)

※ 다음 제시문을 읽고 물음에 답하시오.

【가】 세계 인구의 증가와 산업발달로 자원 사용량이 급증하면서 한정된 자원이 고갈되고 있으며 국가 간 자원 전쟁 양상이 나타나기도 한다. 특히 석유나 석탄 등의 인류가 의존해 온 에너지 자원이 줄어들면서 세계 경제에 큰 불안 요소로 작용하고 있다. 한편 석유, 석탄과 같은 동력 자원뿐만 아니라 쌀, 밀, 옥수수 등과 같은 식량자원 문제도 발생하고 있다. 전 세계의 곡물 생산량은 지구상 모든 사람이 충분히 먹고도 남을 분량이지만, 생산 지역의 편중과 국제 교역 및 복잡한 정치적, 경제적 이해관계 등으로 지역에 따라 식량 부족 문제가 발생하고 있다.

- 고등학교 사회문화

【나】 현실주의는 국제 관계를 힘의 관점에서 설명한다. 국제 정치에서 가장 중요한 행위자는 국가이며, 각국은 국력의 극대화를 목표로 한다. 현실주의의 관점에서 볼 때 국제 사회는 무정부 상태에 가깝고, 모두가 자국의 이익만을 추구하기 때문에 국가 간 갈등은 피할 수 없다. 아울러 그러한 갈등 상황에서 손해를 보지 않으려면 다른 국가들보다 강한 힘을 가져야만 하는 것이다.

자유주의는 국제 관계에서 협력과 평화가 가능하다고 설명한다. 자유주의의 관점에 의하면 인간의 본성은 근본적으로 선하며, 전쟁과 같은 인간의 잘못된 행동은 제도나 구조에서 비롯된다. 따라서 전쟁은 불가피한 것이 아니며 이를 일으키는 제도를 제거함으로써 막을 수 있다. 이러한 관점에서 자유주의자들은 국제법이나 국제규범의 역할을 중요하게 생각한다.

- 고등학교 정치와 법

【다】 아시아 태평양 경제 협력체(APEC) 21개국 정상들은 지난 2012년 9월 블라디보스토크에서 2015년 말까지 원산지에 상관없이 환경 상품에 적용되는 관세율을 5% 이하로 인하하기로 선언하였다. 그리고 2015년 3월에 관세 인하 대상이 되는 환경 상품의 범위를 정하는 '관세 인하 공동 이행 지침'에 합의하고, 모든 회원국은 환경 상품에 대해 2015년 말까지 관세율을 5% 이하로 자발적으로 낮추기로 하였다.

- 고등학교 사회문화

【라】 당신과 나를 포함해 여러 사람이 캠핑장에 왔다고 가정하자. 우리 사이에는 계급도 서열도 없고, 우리의 공동 목적은 각자가 좋아하는 일을 하면서 모두가 즐겁게 시간을 보내는 것이다. 모든 가재도구와 놀이용품은 개인이 가져왔더라도 공동으로 사용한다. 어떤 이는 낚시하고 어떤 이는 요리한다. 사람들은 공동의 관심사에 대해 협동하고, 자기 능력이 닿는 데까지 다른 사람들의 즐거움과 휴식에 공헌하면서 자신도 즐기고 휴식한다.

- 고등학교 윤리와 사상

[문제 1] 제시문 【나】, 【다】를 통해서 【가】에 나타난 문제가 해결되지 않는 원인을 설명하고, 제시문 【나】, 【다】, 【라】를 통해 가능한 해결방안을 기술하시오.

<320~400자> [30점]

※ 다음 제시문을 읽고 물음에 답하시오.

【가】 어떤 경제 주체의 생산, 소비가 다른 경제 주체에게 의도하지 않은 이익이나 손해를 주지만 이에 대한 대가를 받거나 지불하지 않는 경우를 외부 효과라고 한다. 시장 경제에서는 외부 효과로 인해 발생되는 비용이나 혜택이 계산되지 않기 때문에 재화나 서비스가 사회적으로 적정한 수준보다 많거나 적게 생산되어 자원이 효율적으로 배분되지 않는다.

　외부 효과는 다른 사람에게 혜택을 주는지, 손해를 끼치는지에 따라 외부 경제와 외부 불경제로 나뉜다. 외부 경제*는 다른 사람에게 혜택을 주지만 그에 대한 대가를 받지 않는 경우이다. 이 때문에 외부 경제가 발생하는 재화나 서비스는 사회적으로 적정한 수준보다 적게 생산 또는 소비된다. 반대로 외부 불경제**는 다른 사람에게 손해를 끼치지만 그에 대해 보상을 하지 않는 경우로서, 외부 불경제가 발생하는 재화와 서비스는 사회적으로 적정한 수준보다 많이 생산 또는 소비된다.

\* 외부 경제는 긍정적 외부 효과라고도 한다.

\*\* 외부 불경제는 부정적 외부 효과라고도 한다.

- 고등학교 통합사회

【나】 정부는 외부 효과에 의한 시장 실패 즉 자원이 효율적으로 배분되지 않는 문제를 해결하기 위해 직접 개입하거나 경제적 유인을 사용하여 특정한 행위를 하도록 유도한다. 예를 들어 외부 불경제인 환경 오염을 줄이기 위해 오염 물질의 배출량 제한, 정화 시설의 설치 의무화 등 직접 규제를 할 수 있고, 오염 물질 배출에 대해 세금이나 환경 개선 부담금을 부과하는 경제적 유인을 사용할 수도 있다. 또한 국가 경쟁력 강화 등의 외부 경제가 나타나는 연구 개발(R&D)을 활성화하기 위해 보조금 지급, 세금 감면 등의 경제적 유인을 사용하여 이를 장려한다.

- 고등학교 경제

【다】 지난 11일, 유명 인터넷 포털 게시판에 한 빵집에 대해 항의하는 글이 게재되었다. 글쓴이는 해당 빵집의 공정을 우연히 보았는데, 유통기한이 지난 케이크에 생크림을 덧입혀 새 케이크인 것처럼 판매했다고 주장했다. 항의문은 누리 소통망 사용자들에 의해 급속도로 퍼져 나갔고, 언론은 원글쓴이가 쓴 항의문의 내용과, 빵집을 비난하는 누리 소통망 사용자들의 반응을 기사로 다루며 이 사건을 확대 재생산했다. 이에 온라인상에는 해당 빵집의 폐업을 촉구하는 여론이 형성되었다. 그러나 어제인 17일 저녁, 빵집 주인이 직접 나서서 구체적인 근거를 들어 해명함으로써 항의문의 내용은 사실이 아님이 밝혀졌다. 빵집 주인은 정신적 충격으로 당분간 빵집을 휴업하기로 했다.

- 고등학교 화법과 작문

【라】 추운 겨울에 독감에 걸리는 것을 예방하기 위해 독감 예방 주사를 접종한다. 이 외에도 다양한 질병을 예방하는 백신 주사를 접종하면 자신이 질병에 걸리는 것을 막을 뿐만 아니라 다른 사람을 감염시키는 확률을 낮추는 효과도 가져온다.

- 고등학교 경제

【마】 앞집의 나무 때문에 집 안에 햇빛이 안 들어와서 피해를 입는 사람이 있다고 하자. 이 사람은 비용이 많이 드는 제도적 차원의 해결 방법 대신 앞집 주인과의 협상을 통해 문제를 해결할 수 있다. 예를들어 주인에게 나무를 베어 달라고 요청하고, 그로 인한 손해를 보상하겠다고 할 수 있다.

- 고등학교 경제

[문제 2] 제시문 【가】, 【나】에서 나타난 개념들을 활용하여 【다】, 【라】의 외부 효과를 설명하시오. 그리고 제시문 【마】의 사례를 바탕으로 【다】에서 발생하는 외부 효과에 대해 정부가 개입하는 경우 나타날 수 있는 문제점과 그 해결 방안을 제시하시오.

<320~400자> [30점]

## ※ 다음 제시문을 읽고 물음에 답하시오.

【가】 사람들은 행위의 결과나 사회에서 사용되는 규칙이나 관습, 사회에서 인정하는 권위 및 권위자의 명령, 개인의 도덕적 감정 및 양심을 자신의 도덕 원리로 삼는 경향이 있다. 이러한 도덕 원리를 비판적으로 검토하는 것이 필요하며 문제의 도덕 원리가 다른 사람들의 처지에서도 받아들일 수 있는지, 규범적 차원에서 보편화할 수 있는지도 객관적으로 검토해야 한다.

사람들 각자가 지향하는 도덕 원리가 다를 수 있고, 사실 판단의 근거가 되는 정보의 정확성에도 차이가 있을 수 있다. 이러한 이유로 당면한 윤리 문제를 바라보는 관점과 도덕 판단이 달라 도덕적 갈등이 일어나는 경우가 많다. 이러한 도덕적 갈등을 원만하게 해결하고 윤리 문제에 대한 바람직한 해결방안을 찾기 위해서는 비판적 사고뿐만 아니라 도덕적 상상력과 배려적 사고도 필요하다.

도덕적 상상력이란 각종 딜레마 상황에서 그것이 윤리 문제인지를 지각하고, 그 문제 상황이 어떻게 전개될 것인지 고려하는 능력이다. 한편 배려적 사고는 도덕적 민감성과 공감 능력에 근거하여 타인의 욕구나 필요에 관심을 두고 그의 처지에서 생각하며 그 필요를 충족하고자 하는 태도이다.

- 고등학교 생활과 윤리

【나】 2005년 11월 13일 금요일, 유럽의 한 도시가 충격에 빠졌다. 테러였다. (……) 며칠 후 유럽의 방송 매체 <르프티주르날(Le petit Journal)>이 올린 동영상이 떴다. (……) 희생자들을 추모하기 위해 꽃다발과 촛불이 가득 놓인 광장에서 이민자인 아빠 엥겔과 아들 브랑동이 대화하는 모습을 찍은 영상이었다. (……) 아들이 어디서 무슨 소리를 들었는지 테러를 피해 이사갈 걱정까지 한다. (……)

"아니야, 걱정할 필요 없어. 집은 옮기지 않아도 된단다. 프랑스가 우리 집이야."

"그렇지만 나쁜 사람들이 있잖아요? 아빠."

"나쁜 사람들은 어디에나 있단다."

"나쁜 사람들은 총이 있고 우리를 쏠 수도 있어요. 나쁘고 총이 있으니까요, 아빠."

"봐봐, 그들은 총을 갖고 있지만 우리에겐 꽃이 있잖니?"

"하지만 꽃으로는 아무 것도 할 수 없잖아요? 그들은 우리들을, 우리들을……."

"사람들이 놓아둔 저 꽃들이 보이지? 총에 맞서 싸우기 위한 거란다."

"꽃이 우리를 보호해 준다고요?"

"그렇고 말고!"

"촛불도요?"

"그래, 그건 우리를 떠난 사람들을 잊지 않기 위한 거야."

꽃이 우리를 지켜주고 촛불이 떠나간 이들을 잊지 않게 해 준다는 말에 브랑동은 비로소 안심한 듯 미소를 짓는다. 하지만 이 인과관계에는 엄청난 비약이 존재한다. 꽃이 총을 이기고, 그래서 사람들이 꽃을 바치고, 꽃을 바치는 사람이 저렇게 많으니, 우리는 안전하게 보호될 거라는 비약, (……) 거장 마크 리부(Marc Riboud)의 사진 「꽃을 든 여인」을 찾아 보라. 1967년 6월 21일, 미국의 수도 워싱턴. 펜타곤 앞에서 베트남전 반대 시위가 열렸다. 착검까지 되어 있는 군인들의 총 앞으로 꽃문양 옷차림의, 중간 이름까지 장미꽃(Rose)인 잔 로즈 캐즈미어(Jan Rose Kasmir)라는 17세 여고생이 꽃 한 송이를 들고 다가선다. 총을 든 군인보다 꽃을 든 여인이 더 강하다. 당당하기 때문이다. (……) 총은 꽃을 이기지 못한다. 총이 이기면 사람이 죽는다. 더 큰 총은 더 많은 사람을 죽인다. 그래서 거친 남성, 어른의 폭력, 주류의 횡포에 맞서는 것은 늘 여성, 아이, 장애다. 아픈 자만이 아픔을 안다. 작은 것이 큰 것을 고치고, 부드러운 것이 강한 것을 이긴다. 그러므로 꽃이 총을 이긴다. 그리고 그런 꽃을 시는 닮고자 한다. 시는 지배 언어의 자기도취를 일깨우는 변방의 언어이기 때문이다.

-정재찬, 「총, 꽃, 시」

- 고등학교 문학

【다】 지난 금요일 밤 당신들은 너무도 특별했던 한 사람의 생명을 앗아 갔다. 내 인생의 사랑, 그리고 내 아들의 엄마였던 사람을 앗아 갔다. 하지만 당신들은 내 증오를 얻지는 못할 것이다. 당신들은 분노와 증오를 얻고 싶겠지만, 당신들에게 증오로 답하는 건 당신들과 똑같은 무지한 인간이 되는 것이다. 나는 분명 죽은 아내를 보며 비통했고 충격에 빠졌다. 당신들이 작은 승리를 거두었다고 해 두자. 하지만 그 승리는 오래 가지 않을 것이다. 아내는 앞으로 나와 내 아들과 함께하며 우리는 당신들이 절대로 가지 못할 천국에서 함께 할 것이다. 난 지금 막 낮잠에서 깬 17개월 된 아들과 일상으로 돌아갈 것이다. 당신들에게 신경 쓸 시간이 없다. 이 작은 아이는 행복하고 자유롭게 살아감으로써 당신들과 맞설 것이다. 왜냐하면 당신들은 내 아들의 증오도 얻지 못할 것이니까.

-테러로 아내를 잃은 앙투안 레리가 누리 소통망으로 아내의 생명을 앗아간 테러범에게 쓴 편지

- 고등학교 통합사회

【라】 (앞부분 줄거리) 가난한 시골 여인인 '나'는 도시에서 온 유식하고 세련된 남자를 헌신적으로 사랑한다. 하지만 시골 여인에게 싫증을 느낀 그에게 버림받는다. 절망에 빠져 돌아오던 '나'는 어두운 밤길에서 남자들이 오는 소리를 듣고 급하게 정미소로 몸을 숨긴다.

깐쭈가 노래를 부르기 시작했다.

사랑했나 봐 잊을 수 없나 봐 자꾸 생각나 견딜 수가 없어 후회하나 봐 널 기다리나 봐……

나는 어둠 속에 몸을 숨긴 채로 그러나 나도 모르게 입을 달싹여 남자들이 부르는 노래를 따라 불렀다.

바보인가 봐 한 마디 못하는 잘 지내냐는 그 쉬운 인사도 행복인가 봐 여전한 미소는 자꾸만 날 작아지게 만들어……

남자들이 노래를 뚝 멈추었다. 나도 입을 다물었다. 빗소리는 점점 더 거세졌다.

"싸부딘, 사장이 너무 불쌍해."

"난 사장 죽도록 미웠어. 깐쭈 너 때문에 오늘 일 다 망친 거야."

"난 사장님 돈 줘 소리 못하겠어. 사장 돈 없어. 몸 아파, 어머니 아파, 사장 슬퍼."

"그래도 사장한테 말을 해야 했어."

"나는 사장님 돈줘, 소리 못해. 왜냐, 사장 돈 없어."

"깐쭈, 언제 떠나?"

"모레. 오늘 밤, 내일 밤 자고 모레. 내일은 시내 가서 음악 시디하고 고무장갑하고 소주하고 옷하고 신발하고 여러 가지를 살 거야."

"낀쭈, 닌 니희 나라 가믄 뭐할 서야?"

"모르겠어. 가믄, 엄마 아버지 누나 여동생 사촌들 만나고 산에 올라 달을 볼 거야. 우리나라 네팔 달 볼 거야. 내가 뭘 할 건지, 달한테 물어 볼 거야. 싸부딘은?"

"여동생이 한국 사람과 결혼했어. 시골이야. 동생이 남편한테 맞았어. 동생 많이 슬퍼. 형이 한국 여자랑 결혼 했어. 형 여자 도망갔어. 조카 있어. 형이랑 조카 많이 슬퍼. 부모님 돌아가셨어. 우리나라 방글라데시 가도 나는 아무도 없어. 한국에 다 있어. 난 갈 수 없어. 형 다쳤어. 손가락 잘렸어. 조카 살려야 해."

"싸부딘, 난 한국에서 슬플 때 노래했어. 한국 발라드야. 사장이 막 욕해. 나 여기, 심장 막 뛰어. 손가락 막 떨려. 눈물 막 흘러. 그럼 노래했어. 사랑 못 했어. 억울했어. 그러면 또 노래했어. 그러면 잠이 왔어. 그러면 꿈속에서 달을 봤어. 크고 아름다운 네팔 달이야."

깐쭈가 다시 노래한다. (……)

나는 어둠 속에 몸을 숨긴 채 또 다시 따라 했다. (……)

싸부딘도 노래했다. (……)

노랫소리는 빗소리에 섞여 쌀겨 냄새 가득한 정미소 안으로 스며들었다. (……)

두 사람이 빗속으로 어둠 속으로 사라졌다. 명랑하게 사라졌다. 싸부딘과 깐쭈가 사라진 길 너머로 내가 지나온 길이 보였다. 그 길 너머 그 남자네 집이 보였다. (……) 나는 노래 불렀다.

사랑했나 봐 잊을 수 없나 봐 자꾸 생각나 견딜 수가 없어 후회하나 봐 널 기다리나 봐……

나는 정미소를 나섰다. 나는 빗속에서 악을 썼다. 눈에서는 눈물이 쏟아졌다. 그러나 나는 노래 불렀다. 저기, 네팔의 설산에 떠오른 달이 보인다. 나는 달을 향해 나아갔다. 비를 맞으며 천천히, 뚜벅뚜벅, 명랑하게.

-공선옥, 「명랑한 밤길」중에서

- 고등학교 문학

[문제 3] 제시문 【가】를 바탕으로 【라】에서 '나'를 비롯한 인물들의 행동이 보여준 도덕적 요소를 설명하시오. 그리고 제시문 【나】, 【다】의 도덕적 판단 혹은 실천의 공통점을 말한 뒤 그것이 가능한 이유와 근거를 【라】의 도덕적 요소와 관련해서 설명하시오.

<560 ~ 700자> [40점]

# 8. 2022학년도 동국대 수시 기출 (인문계열 Ⅱ)

※ 다음 제시문을 읽고 물음에 답하시오.

【가】 우리는 동일한 정보를 책이나 신문, 텔레비전, 인터넷 등의 다양한 매체에서 다양한 방식으로 접할 수 있는 시대를 살고 있다. 여러 매체 자료 중에서 자신에게 필요한 것을 선택하고 올바르게 수용하는 능력을 갖추어야 한다. (……) 올바른 매체 이용을 위해서는 매체 자료가 수용 목적이나 상황과 같은 맥락에 비추어 보았을 때 적절한 것인지도 따져보아야 한다. 특정한 언어와 요소를 선택하는 행위에는 생산자 자신의 관점과 가치를 드러내려는 의도가 담겨 있다. (……) 따라서 매체 자료를 수용할 때에는 겉으로 드러나는 내용 외에도 그 안에 담긴 생산자의 관점과 가치가 무엇인지를 정확히 파악해야 한다. (……) 매체 자료를 수용할 때에는 출처가 불분명하여 신뢰할 수 없는 정보나 왜곡된 정보, 자극적이거나 불건전한 내용을 담고 있는 경우가 많으므로 수용할 때에는 더욱 주의를 기울여야 한다. 이제는 다양한 형식의 매체 자료에 접근하여 정보를 분석하고 평가하면서 의사소통할 수 있는 매체 문해력이 중요한 시대다.

*매체 문해력(media literacy): 주로 매체 자료를 분석하고 평가하여 이해하는 능력을 말한다. 최근에는 매체를 활용한 사회 적응력까지 포함하는 개념으로 사용한다.

- 고등학교 언어와 매체

【나】 미세먼지가 날로 기승을 부리면서 호흡기 건강에 대한 관심도 높아지고 있다. (……) 그러나 많은 사람들이 간과하는 것은 호흡기 건강보다 더욱 신경 써야 하는 것이 바로 피부건강이라는 점이다. 화장품 업계 1위인 ㄱ사의 자문단으로 활동하고 있는 A 피부과 김 모 원장은 "미세먼지가 피부에 닿으면 접촉성 피부염이 생기기 쉬우므로, 외출 후 귀가하면 꼼꼼하게 세안해 오염 물질을 씻어야 한다."라고 피부관리의 중요성을 강조했다. 최근 ㄱ사에서 출시한 세안용 제품은 미세먼지를 비롯한 유해 물질로 민감해진 피부의 노폐물을 말끔히 씻어 준다. 제품개발에 참여한 ㄱ사 박 모 팀장은 "천연재료를 사용하여 피부에 강한 자극을 주지 않고 세안 효과도 뛰어나 소비자들의 반응이 매우 좋다. 세안 후 피부가 촉촉함을 유지하는 것도 큰 장점이다."라고 밝혔다. 제품에 관한 자세한 내용은 ㄱ사 누리집에서 확인할 수 있다.

- 이 ○○ 기자 lee **@**news.com -

- 고등학교 독서

【다】 얼마 전 어느 잡지와 인터뷰를 했다. 최근 몇 년간 나에 대한 기사는 거의 암환자 장영희, 투병하는 장영희에 국한되어 있어서 그냥 인간 장영희, 문학선생 장영희에게 초점을 맞춰 줄 것을 조건으로 인터뷰에 응했다. 나는 열심히 문학의 중요성, 신세대 대학생들의 경향 등등을 성의껏 말했다. 그런데 오늘 우송되어 온 잡지를 보니 기사 제목이 '신체장애로 천형(天刑)같은 삶을 극복하고 일어선 이 시대 희망의 상징 장영희 교수'였다. '천형같은 삶?' 그 기자의 의도와 상관이 없이 난 심히 불쾌했다. 어떻게 감히 남의 삶을 '천형'이라고 부르는가. 맞다. 나는 1급 신체 장애인이

고 암 투병을 하지만 한 번도 내 삶이 천형이라고 생각해 본 적은 없다. (……) '이 없으면 잇몸으로 산다.'는 말이 있듯이 내 나름의 삶의 방식에 익숙해져 그런대로 큰 불편을 느끼지 않고 살아간다.

*천형(天刑): 죄인에게 하늘이 내리는 벌. 천벌(天罰).

- 고등학교 국어

【라】 지도는 실제 세계를 일정한 축척으로 다양한 지리정보를 기호나 문자로 표시한 것이다. (……) 과거 중국인은 스스로 세계의 중심이라 여기는 중화사상을 반영하여 중앙에 크게 들어긴 '화이도'를 그렸다. 우리 조상들이 그린 시도 중 '혼일상리역대국도지도'는 조선 전기의 국가경영 자료 확보 목적 외에도 조선 왕조의 정당성을 세계에 알리기 위해 국가 주도로 제작하였다. 중화사상이 있었던 당시의 세계관에 따라 중국을 지도 중앙에 크게 그렸으나, 조선을 상대적으로 크고 자세하게 표현한 점에서 우리 국토를 주체적으로 인식하였음을 알 수 있다. 조선 중기 이후 제작된 '천하도'는 도교의 영향을 받았으며 지도 중앙에 중국을 그려 넣어 중화사상을 반영하였다.

- 고등학교 세계지리

[문제 1] 제시문 [가]를 바탕으로 제시문 [나], [다], [라]의 문제점을 기술하시오.

※ 다음 제시문을 읽고 물음에 답하시오.

【가】엘륄은 현대 기술 사회의 문제로 컴퓨터와 휴대 전화 등 기계들을 사용해야만 정상적인 사회생활을 할 수 있다는 점, 기술의 사용 여부와 무관하게 우리의 삶이 이미 기술 시스템의 일부가 되어 있다는 점을 꼽는다. 그런데 엘륄은 더 심각한 문제는 현대인들이 자신의 삶이 기술에 종속되어 가고 있는 것을 삶이 더 나아지는 과정, 더 인간적이 되어 가는 과정으로 느낀다는 데 있다고 본다. 또한 그는 기술이 인간의 통제를 벗어나 인간의 자유를 억압하는 방식으로 발전하고 있다고 주장한다. 물론 기술 개발에 소비자의 의견이 반영되기도 하고, 특정 기술의 윤리적 문제에 대한 사회적 논의가 일어나 기도 한다. 그러나 사회의 여러 가지 요소들이 모두 기술 시스템에 연결되어 있는 상황에서 그런 개별 사례들은 별다른 의미를 갖지 못한다. (……) 몇몇 기술들이 효율성 추구의 관점을 거슬러 인간의 통제하에서 발전한다고 하더라도, 그것은 기술이 자율적이 되는 흐름 속에 곧 묻혀 버리거나 도리어 그 흐름을 돕는 식으로 교묘하게 왜곡될 가능성이 많다.

- EBS 국어영역 독서

【나】프랑스 작가 베르나르 베르베르는 "인공 지능(AI)은 그 자체로 좋은 것도, 나쁜 것도 아니다. 인간이 AI를 어떻게 사용하느냐에 따라 우리의 미래가 달라진다."라고 말했다. 그는 10년 안에 인간만큼 지능적이고 똑똑한 안드로이드가 개발될 것으로 예측했다. 베르베르는 "이런 기계가 나중에 자아를 인식하게 되면 흥미로워지겠지만 그것은 가능성 중 하나이다. 그 전까지는 그 기계를 프로그래밍한 인간들이 책임을 져야 한다. 인간은 기계 자체에 의해 구원받을 수 없다."라며 (……) 인간의 책임을 다시 한번 강조했다.

- 고등학교 생활과 윤리

【다】제우스는 프로메테우스에게 인간을 창조하라는 명령을 내렸다. 프로메테우스와 에피메테우스는 인간과 그 밖의 동물들에게 그들이 살아가는 데 필요한 능력을 주는 일을 제우스로부터 위임받았다.
에피메테우스가 형을 졸라 이 일을 맡게 되었는데, 각기 동물들에게 용기, 힘, 속도, 지혜 등 각자 스스로 살아갈 수 있도록 선물을 주기 시작했다. 그런데 인간의 차례가 오자 에피메테우스는 이제까지 그의 자원을 몽땅 탕진하였으므로 줄 것이 남아 있지 않았다. 문제를 알게 된 형 프로메테우스는 해결책으로 기술과 하늘의 불을 훔쳐 인간에게 선물했다. 기술과 불의 선물을 받은 인간은 다른 동물보다 더 월등한 존재가 되었다. 이 불을 사용하여 인간은 무기를 만들어 다른 동물을 정복할 수 있었고, 두구를 사용하여 토지를 경작할 수 있었기 때문이다.

- 고등학교 생활과 윤리

【라】이것이 있기 때문에 저것이 있고, 이것이 생기기 때문에 저것이 생긴다. 이것이 없기 때문에 저것이 없고, 이것이 사라지기 때문에 저것이 사라진다. 비유하면 세 개의 갈대가 아무것도 없는 땅 위에 서려고 할 때 서로 의지해야 설 수 있는 것과 같다. 만일 그 가운데 한 개를 제거해 버리면 두 개의 갈대는 서지 못하고, 그 가운데

두 개의 갈대를 제거해 버리면 나머지 한 개도 역시 서지 못한다. 세 개의 갈대는 서로 의지해야 설 수 있는 것이다.

- 고등학교 생활과 윤리

【마】노자는 "도(道)는 자연을 본받아 어긋나지 않는다."라고 하여, 천지 만물의 근원인 도의 특성이 인위적으로 강제하지 않고 자연스러움을 따르는 무위자연(無爲自然)이라고 주장하였다. 도가 윤리는 이러한 무위자연을 이상적 삶의 모습으로 제시하여, 무위의 다스림이 이루어지는 소국과민(小國寡民)을 이상 사회로 본다.

*소국과민: 영토가 작고 인구가 적은 나라.

- 고등학교 생활과 윤리

[문제 2] 제시문 [가], [나], [다]에서 인간과 기술의 관계에 대한 공통된 세계관을 찾고, 이 세계관에 대한 각 제시문의 세부적 차이점을 설명하시오. 그리고 이러한 공통된 세계관을 제시문 [라], [마] 각각의 입장에서 비판하시오.

<380~400자> [30점]

## ※ 다음 제시문을 읽고 물음에 답하시오.

【가】 근래 많은 사람이 미디어의 광고에 의지하여 작품이나 책을 고르고 인터넷으로 책을 사고 읽는다. 이는 불과 몇 년 전부터 급격히 확산된 완전히 새로운 읽기의 양상이다. 이러한 큰 변화는 지금까지 보편적이라고 여겨졌던 '서점에서, 정해진 값을 지불하고, 활자로 인쇄된, 책을 사서, 집에서, 혼자, 눈으로 읽는' 책 읽기 방식이 보편적이지도 영원불멸하지도 않다는 것을 새삼 가르쳐 준다. 그러한 책 읽기는 역사의 특정한 국면에서 양식화되고 유행한 일시적이며 특수한 양식일 뿐이다. 너무 익숙해져서 당연하게 여겨진 책의 수용 방식은 사실 한국에서는 19세기에서야 나타났고 20세기에 들어서고도 한참이나 지난 후 본격적으로 일반화되었다.

- 고등학교 독서

【나】 중세의 수도사들은 글을 베끼는 일을 했다. 글과 그림을 연필로 먼저 그리고 잉크를 사용하여 선화 작업을 한 후에 금박과 색을 입혔다. 숙련된 장인들의 기술 수준이 요구되는 작업이었고, 책 한권을 제작하는 데 필요한 양피지를 만들기 위해 수백 마리의 양이 필요했다. 당연히 책 가격은 매우 비싸서 교회와 귀족들이 아니라면 살 수 없었다. 더구나 보석이나 세공이 곁들여지는 경우가 많았으니 책을 소유한다는 것은 그 사람의 신분과 재력을 나타내는 것이었다.

- 고등학교 언어와 매체

【다】 두 평쯤이나 될까 말까 한 좁은 감방 안에서 7, 8명의 식구가, 때로는 십여 명이 넘는 인구(人口)가 똥통과 동거 생활을 하면서 뒤를 볼 때에는 그래도 뒤지가 필요하였다. 그러므로 경찰서에서는 이 불가피한 청구에 응하기 위하여 뒤지를 공급하고 있었다. 원래 뒤지 감의 종이를 따로 만들어 한 움큼씩 묶어서 파는 것이 있었지만, 이 당시에는 전쟁 중의 일본이 경제적 파탄에 직면하고 있었으므로 뒤지조차 구하기 어려웠다. (……) 우선 뒤를 자주 보기로 하였다. 설사가 나니까 한 장으로 부족하니, 석 장 넉 장씩 달라고 하였다. 가다가는 뒤지를 얻기 위하여 헛뒤를 보는 일도 있었다. 이렇게 하여 다 각각 얻은 뒤지를 서로 돌려 가며 보는 것이었다.

그러나 이렇게 들여 주는 뒤지만으로는 진정 갈급질이 나서 못 견딜 지경이었다. 그리하여 다량으로 뒤지를 입수하기에 청소꾼을 이용하는 일이 많았다. 젊은 사람이 청소하러 나가서 마치 담배를 훔쳐 들이듯이, 뒤지를 걷어서 감방으로 들여 주곤 하였다. 이와 같이 도둑글을 읽다가 들켜서 뒤지를 빼앗기는 일도 있었고, 뺨을 맞는 일도 한두 번이 아니었다. 그러나 이와 같이 봉변을 당하고도, 그래도 또 잡지 쪽 읽기를 단념하지 못하였다. 이로써 미루어 보면, 사람이 하고 싶어 하는 의욕은 벌을 받거나 모욕을 당하는 것만으로 깨끗이 청산하여 버리지 못하는 것이 역시 인간인가 싶었다. 이런 것도 인력(人力)으로 좌우할 수 없는 본능의 소치인 듯하였다. 그 진정한 경지는 실지로 당하여 보지 않고서는 이해하기 어려울 것이다.

*뒤지: 똥을 누고 밑을 씻어 내는 종이.
*헛뒤: 거짓으로 똥을 누는 행위.

*갈급질: 부족하여 몹시 바라는 짓.
*걸터서: '걸터듬어서'의 뜻인 듯함. '걸터듬다'는 '무엇을 찾느라고 이것저것 되는대로 마구 더듬다'의 뜻.
*소치: 어떤 까닭으로 생긴 일.

- 고등학교 문학

【라】 밤에 엘이디(LED) 화면을 들여다보면 우리 몸의 멜라토닌 생성이 방해되어 더 오래 깨어있게 되고, 결과적으로 수면의 질이 저하될 수 있다. 그래서 나는 잠자기 전에는 이런 문제점을 최소화한 전자책 단말기를 사용한다. 전자책 단말기는 대부분의 종이 책보다 가볍고 어둠 속에서 더듬거리며 펜을 찾지 않고도 책에 메모를 할 수 있다. 책에 몰입하다 손에 든 채 잠이 드는 것은 즐거운 경험이다.

 새로운 단말기가 잘 만들어졌는지 시험하는 나만의 방법이 있다. 밤에 책을 읽다가 솜사탕처럼 끈적끈적하고 달콤한 잠이 몰려와 눈꺼풀이 무거워지면서 저절로 눈이 감기고 전자책 단말기가 손에서 스르르 미끄러져 침대에 떨어지는 것을 느낀다면, 그 제품은 성공한 것이다. 전자책은 잠들기 전 비몽사몽이면서도 묘하게 감각이 예민해지는 순간에, 이성을 떨쳐 버리고 직관을 풀어놓을 수 있는 자유로운 상태로, 가장 좋은 생각을 떠올릴 수 있는 최적의 조건으로 나를 이끌어 간다. 침대에서건 비행기에서건 기차에서건 스스로 그럴 여유를 허락하기만 한다면 누구든 좋은 전자책을 손에 들고 편안하게 잠에 빠져들 수 있을 것이다.

- 고등학교 독서

【마】 책이 있으면서 남에게 빌려주지 않으면 책 바보다. 자신에게 없는 책을 무슨 수를 써서든 소장하려고 드는 것도 책 바보다. 오직 책을 엮고 인쇄하여 마음이 통하는 고상한 사람에게 주고 뜻이 있는 시골 선비들과도 나누어야지만 책 바보가 아니다. (……) 책에 장서인을 찍는 법으로 말하자면, 우리나라와 중국은 공사와 아속의 측면에서 현저히 다르다. 중국인들은 책을 수집하더라도 유통하는 것을 근본으로 삼는다. 그러므로 그들이 장서인을 찍는 것은 나중에 그 책을 소유할 사람에게 이 책이 누구로부터 전해졌고 누가 평비하며 읽었는지 알려 주려 해서이다. 비유하자면 서화에 제발문을 쓰는 것과 같으니 어찌 공정하고 고상하다 하지 않겠는가? 우리나라 사람들은 책을 모을 때 소장하는 것을 근본으로 삼는다. 그래서 반드시 본관과 성명, 자와 호 등 서너 가지 장서인을 무슨 관청의 장부와 같이 거듭거듭 찍는다. 그 책이 남의 것이 될까 근심하는 듯하니, 어찌 사사롭고 저속하다 하지 않겠는가?
*장서인(藏書印): 소장하고 있는 책에 찍어 그 임자를 나타내는 도장.
*아속(雅俗): 고상함과 저속함.
*평비(評批): 책 또는 글에 자신의 평가와 견해를 붙이는 일.
*제발문(題跋文): 책이나 그림 등에 내용을 간추리거나 평하여 써 두는 글.

- 고등학교 독서

【바】 생물학자 최재천은 자신이 서재를 '통섭원'이라고 부른다. 그곳은 그가 세상과 제자들과 소통하는 장이자, 자연과학과 인문학이 벽을 깨고 통섭되기를 바라는 공간이며, 또 학자들과 진리를 탐하고 서로의 학문에 빠져들기를 바라는 소망의 공간이

다. (……) 또 책을 접거나 구기지 않는다. 책에 줄을 긋고 여기저기 쓰는 것을 싫어한다. 쓸 것이 있을 때에는 쪽지를 써서 살짝 끼워 놓는다. 책이 귀했던 어린 시절부터 몸에 밴 습관이다. 서재에 있는 책은 어느 것 하나를 골라잡아 펼쳐도 새것 같지 않은 것이 없다. 어떤 이들은 까다롭다 할지 모르지만, 그에게는 이유가 있다. "여기 있는 책들은 저 혼자

보는 책이 아니거든요. 저와 학생들, 제 주변의 많은 사람들이 보는 것이니 소중히 다뤄야지요. 언젠가는 제 책들이 저와 같은 분야를 공부하는 사람들의 책이 될 테니까요. 대한민국의 어느 도서관도 제가 연구하는 분야에 관해 이만큼의 책을 갖고 있는 곳은 없을 거예요. 저는 제 뒤에 걸어오는 후학들에게 그 도서관 역할을 해 주고 싶어요. 꼭 해 주어야 할 것 같아요." 그에게 서재는 그만의 공이 아니다. 모두가 공유하는 서재, 모두가 함께 나누고 세상을 탐구할 수 있는 창조의 공간이자 사유의 숲이다.

- 고등학교 독서

[문제 3] 제시문 [가]의 '책의 수용 방식'으로 제시문 [나], [다], [라]를 각각 설명하시오. 그리고 제시문 [마]의 화자와 제시문 [바]의 생물학자 최재천이 책을 대하는 태도에 나타나는 공통점과 차이점을 기술하시오.

<580~700자> [40점]

# 9. 2022학년도 동국대 모의 논술 (인문계열)

※ 다음 제시문을 읽고 물음에 답하시오.

【가】 내가 그의 이름을 불러 주기 전에는 / 그는 다만 / 하나의 몸짓에 지나지 않았다. // 내가 그의 이름을 불러 주었을 때 / 그는 나에게로 와서 / 꽃이 되었다. // 내가 그의 이름을 불러 준 것처럼 / 나의 이 빛깔과 향기에 알맞은 / 누가 나의 이름을 불러 다오. / 그에게로 가서 나도 / 그의 꽃이 되고 싶다. // 우리들은 모두 / 무엇이 되고 싶다. / 너는 나에게 나는 너에게 / 잊혀지지 않는 하나의 눈짓이 되고 싶다.

-『고등학교 문학』

【나】 무지개를 보기 전부터 '빨주노초파남보 일곱 가지 색으로 이루어진 무지개'를 중얼거리던 사람은 실제 무지개의 색과 상관없이 무지개의 색을 일곱 가지로 구분하여 이해하기 쉽다. 그러나 무지개는 일곱 가지 이상의 색으로 이루어져 있으며 우리 역시 무지개에서 이 일곱 가지 외의 색을 못 보는 것도 아니다. '무지개'라는 단어가 없이도 우리는 무지개를 지각하고 사고할 수 있다. 아프리카 라이베리아의 니제르·콩고 어족의 바사어에서는 '보라', '파랑', '초록'을 모두 합쳐 하나의 단어로 부른다. 그러나 니제르·콩고 어족 사람들이 '보라', '파랑', '초록'을 구분하지 못하는 것은 아니다.

-『고등학교 언어와 매체』

【다】 영어의 '라이스(rice)'는 꽤 불친절한 단어이다. 때로는 '벼', 때로는 '쌀', 때로는 '밥'을 뜻한다. 갈무리해 놓은 낟알 중에 실한 놈을 잘 말려 겨울을 난 후 싹을 틔워 못자리에 붓는다. 적당한 길이만큼 자라면 모를 찌어 모내기한다. 애벌, 두벌, 세 벌의 김을 매며 잘 키우면 그것이 벼다. 가을이 되어 알곡이 누렇게 익고 이삭이 고개를 숙일 때쯤 베어 낟알을 떨어내면 그것도 벼다. 방앗간에서 왕겨를 벗겨 내면 현미가 되고 다시 몇 차례 등겨를 벗겨 내면 백미가 되는데 이것을 쌀이라 부른다. 쌀을 안쳐 불을 때다가 뜸을 들이면 비로소 밥이 된다.

-『고등학교 언어와 매체』

【라】 우리는 1년을 봄, 여름, 가을, 겨울의 4계절로 부르지만, 어원어*에서는 이른 봄과 늦은 봄, 이른 가을과 늦은 가을을 가리키는 단어가 있어서 1년을 6계절로 나누어 부른다. 이곳의 사람들은 주로 순록을 기르며 자연 속에서 지내기 때문에 자연과 관련된 단어가 발달해 있다.

* 어원어(Ewen어): 알타이 언어의 만주·퉁구스 어파에 속하는 언어이다. 어원인은 시베리아의 사하 공화국, 하바롭스크주, 마가단주(추코트카 자치구), 캄차카주(코랴크 자치구) 등지에 거주한다.

-『고등학교 언어와 매체』

[문제 1] 【가】와 【나】의 내용을 요약하고 인간의 지각 현상과 언어 사이의 상관 관계를 대비적으로 설명하고, 【다】와 【라】를 바탕으로 '문화와 언어'의 관계를 설명하시오.

<400자 이내> [30점]

※ 다음 제시문을 읽고 물음에 답하시오.

【가】 미국의 사회학자 머튼(Merton, R. K.)은 범죄 통계에서 하층 노동 계급 청년들의 재산 범죄가 차지하는 비율이 다른 집단에 비해 과도하게 높은 것은 그들 개인이 아니라 사회 자체의 특성 때문이라고 보았다. 머튼에 따르면 미국 사회는 물질적 성공을 문화적 목표로 제시하고, 어떤 배경을 가진 사람이든 열심히 일하기만 하면 그 목표를 달성할 수 있다고 말한다. 하지만 실제로 성공을 위한 합법적 기회가 누구에게나 열려 있는 것은 아니다. 아무리 열심히 일해도 성공에 도달하지 못하는 사람들은 열심히 일하지 않는다는 비난까지 받게 된다. 이는 이들에게 물질적 성공이라는 문화적 목표를 손에 넣기 위해 불법적 방법이라도 시도해야 한다는 상당한 압력으로 작용할 수 있다.

－『고등학교 사회·문화』

【나】 아래의 자료는 2010년대 한국의 소득 불평등을 보여주고 있다. 빈부 격차의 심화와 같은 경제 불평등은 사회·문화·교육 등 대부분의 분야에 영향을 미치고 있다. 한국 사회는 사회 양극화로 계층 간, 집단 간의 갈등이 깊어지는 등 사회 통합에 어려움을 겪고 있다. 특히 소득 및 자산의 격차는 교육의 기회와 문화 경험의 격차를 일으킬 뿐만 아니라 계층의 대물림으로 이어질 가능성이 높다.

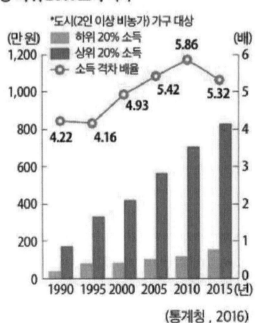

－『고등학교 한국사』

【다】 실업은 개인적으로나 사회적으로 많은 영향을 미치는 국민 경제의 문제이다. 개인적 측면에서 일자리를 잃은 사람은 소득이 감소하여 생계를 유지하기 어려워질 수 있다. 또한 실업으로 인한 개인의 정신 건강 문제를 겪게 되거나, 다른 사람들과 사회적 관계가 단절되는 문제가 나타나기도 한다.

사회적 측면에서 실업은 일할 수 있는 사람이 생산 활동에 참여할 수 없게 되는 것이므로 유용한 인적 자원이 낭비되는 결과를 초래한다. 이에 따라 국민 경제의 생산력이 저하되어 경제 성장에 걸림돌이 될 수도 있다. 그뿐만 아니라 실업이 증가하면 소득 분배 상황의 악화, 빈곤의 확산 등으로 사회가 불안해질 수 있다.

-『고등학교 경제』

【라】 사회 복지 제도는 국민의 최소한의 인간다운 생활 보장과 삶의 질 향상, 사회 통합에 이바지할 수 있도록 다양한 사회 서비스를 제공하고 있다. 하지만 이러한 서비스의 강화로 여러 가지 부작용이 나타나기도 한다. 예를 들어, 실업 급여를 부정하게 받는 사람들이 나타나고 있다. 보다 구체적으로, 2013년도의 실업 급여 부정 수급자는 21,735명(부정 수급액 11,725백만 원)이었고, 2015년도에는 그 수가 다소 감소하여 21,493명(부정 수급액 14,806백만 원)이었다. 또한, 세금의 투입으로 인한 지나친 복지의 강화는 일하고자 하는 동기에 영향을 미침으로써 국가에 의존하려는 사람들이 증가하는 문제를 야기하기도 한다.

-『고등학교 사회·문화』

[문제 2] 【가】의 관점에서 【나】, 【다】에 나타난 문제점과 해결 방안을 제시하고, 이 같은 방안에 대해 【라】의 내용에 기초하여 예상되는 문제점과 해결 대안을 제시하시오.

<400자 이내> [30점]

※ 다음 제시문을 읽고 물음에 답하시오.

【가】
은기: 경민아, 어떡해. 큰일 났어.

경민: 왜? 무슨 일이야?

은기: 지갑을 잃어 버린 것 같아. 아무리 찾아봐도 없어.

경민: 왔던 길은 다시 가 봤어?

은기: 다시 가 봤는데 없었어.

경민: 어디에 두었는지 기억 안 나? 가방은 찾아봤어?

은기: 벌써 찾아 봤지. 근데 없어.

경민: 우선 학생증 재발급 신청하고, 지갑을 주운 사람을 찾을 수 있도록 벽보를 붙여봐.

은기: 정말 속상해. 내가 가장 아끼는 건데.

경민: 지갑처럼 중요한 물건을 아무 데나 놓고 다니면 어떡하니? 가방에 넣어 두든지 주머니에 넣고 다니든지 해서 잘 보관했어야지. 앞으로는 자기 물건을 잘 챙기는 습관을 기르도록 해.

은기: 안 그래도 속상한데 지금 그런 소리를 꼭 해야겠어?

경민: 응? 갑자기 왜 화를 내?

-『고등학교 국어』

【나】 재학생의 절반 이상이 다문화 학생인 ○○ 초등학교에서는 루마니아 출신 학생이 전교 부회장에 당선되기도 하고, 히잡을 쓰고 운동장을 달리는 학생의 모습도 볼 수 있다. 이 학교는 수준·나이 등으로 분류해 한 반에 15명 내외로 총 3개의 다문화 특별 학급을 운영 중이다. 특별 학급에서는 다양한 문화가 공존하는 분위기를 익혀 나가고, 일반 학급에서는 정규 수업을 받는다. 아이들이 함께 어울리다 보면 국적과 출신을 떠나 곧 친해지고 분위기에도 잘 적응하곤 한다.

-『고등학교 통합사회』

【다】 동양화의 특징 가운데 서양화와 가장 크게 구별되는 요소는 바로 '여백'이다. 여백이란 그림이 그려지는 화면에서 그려진 부분을 제외한 나머지 빈 곳을 말한다. 아무것도 그려져 있지 않지만, 그대로 하늘이 되기도 하고, 안개나 공기가 되기도 하고, 때로는 물이 되기도 한다. 하지만 서양화에서는 빈 곳을 허용하지 않는다. 작품에 빈 곳을 남기면 미완성작으로 인식되기 때문이다. 조선의 산수화에서 하늘은 여백으로 비워진 공간이지만, 서양화에서 하늘은 새이 칠해진 하나이 구체적인 공간이었다. 그런데 서양화의 영향으로 조선 후기 산수화에도 하늘을 채색한 그림이 등장하게 된다. 강희언(1738~?)의 『인왕산도』가 그것이다.

 강희언은 조선 후기에 활동한 중인 화가로 적극적으로 서양화법을 수용했다. 그는 인왕산의 실제 경치를 그리면서 배경에 보이는 하늘 전체를 엷은 푸른색으로 채색했다. 이는 기존의 산수화에서는 볼 수 없었던 것으로, 여백에 대한 새로운 인식을 보여주는 특별한 시도였다. (……) 하지만 서양화법의 유행은 그리 오래 지속되지 않았다. 그 까닭은 무엇일까? 아마도 '눈'에 보이는 현상보다 '정신'을 중시하는 동양화의 전통이 강하게 작용했기 때문이라고 여겨진다. (……) 동양화와 서양화에 나타나는 이 같은 차이는 정신적인 것을 추구하는 동양인과 눈에 보이는 현상에 집중하는 서양인이 삶에 대한 태도에서 비롯된 것으로 보인다. 세상을 바라보는 인식과 태도의 차이가 결과적으로 그만큼 다른 회화적 표현을 낳았던 듯하다.

-『고등학교 국어』

【라】 (……) 서로 관계없는 것들을 연결하는 능력이 창의력이라면, 연결할 거리들은 뇌 속에 있는 정보와 자료이다. 창의력이 좋아지려면 제일 먼저 연결할 거리들이 많아야 하는데, 이를 위해서는 일상 속 경험과 지식, 소통이 늘어나야 한다.

먼저 일상 속 '경험'. 예를 들어 익숙한 곳에서 벗어나 새로운 것을 경험하게 해 주는 여행은 창의적인 생각을 하는 데 큰 도움이 된다. 여행을 통해 풍부한 경험을 얻을 수 있고, 다양성에 대한 인식과 관심을 높일 수 있어서 여행은 여러 분야에서 창의성을 길러 준다. (……)

마지막으로 '소통'. 나는 철학, 역사, 음악, 미술 등 다양한 분야의 여러 사람과 자주 만난다. 이들과 대화를 나누다 보면 익숙하지 않은, 새로운 이야기를 많이 접하고, 나와 성향이나 감성이 달라서 신선한 인상을 받을 때가 많다. 사람들과의 이런 소통을 통해 새로운 생각을 떠올리는 데 도움을 받을 때가 자주 있다. (……)

호기심은 자꾸 새로운 것을 접할 때 생겨나기 마련이다. 어린아이의 눈으로 호기심을 잃지 말고 세상을 바라보자. (……) 고정관념에서 벗어나 생각의 틀을 깨면, 이 문제는 무척이나 쉽게 풀린다. 생각의 틀을 깨려면, 그래서 창의력을 키워나가려면, 고정관념의 틀에서 빠져나오기 위한 연습을 꾸준히 해야 한다.

-『고등학교 국어』

[문제 3] 【가】, 【나】, 【다】와 같은 상황에서 발생할 수 있는 문제점을 제시하고, 【라】의 창의력 개발이라는 관점에서 사람들 간의 차이와 다양성을 대하는 바람직한 태도는 무엇인지 제시하시오.

<700자 이내> [40점]

# 10. 2021학년도 동국대 수시 논술 (인문계열 Ⅰ)

※ 다음 제시문을 읽고 물음에 답하시오.

【가】 한글 맞춤법 / 제1장 총칙
제1항 한글 맞춤법은 표준어를 소리대로 적되, 어법에 맞도록 함을 원칙으로 한다.
제2항 문장의 각 단어는 띄어 씀을 원칙으로 한다.

(예시) 현행 맞춤법과 달리 '업따'라고 쓰면 이 철자는 '업다', '엎다', '없다' 등 여러 가지 뜻에 대응하게 된다.
(예시) "여러분 도와 주세요."는 (……) "여러분도 와 주세요."일까? 아니면 "여러분 도와주세요."일까?

-『고등학교 국어』

【나】

* "맞나?"는 경상도 지역에서 쓰는 말로 "정말이니?", "진짜니?", "그래." 등 다양한 의미로 사용된다.

-『고등학교 국어』

【다】

엄마: 소연아, 친구 생일 선물은 무엇으로 할지 정했니?

소연: 생선은 문상이 최고죠!

엄마: 갑자기 웬 생선? 그리고 문상을 간다고? 누가 돌아가셨니?

소연: 생일 선물로 문화 상품권을 준다고요. 참, 저 내일 버카충하게 만 원만 주세요.

엄마: 버카충? 처음 듣는구나. 그건 무슨 벌레니?

소연: 아이 참, 버스 카드를 충전한다는 말이에요.

-『고등학교 국어』

【라】 마을을 구수한 즐거움에 싸서 은근하니 흥성흥성 들뜨게 하며 / 이것은 오는 것이다 / 이것은 어늬 양지귀 혹은 능달 쪽 외따른 산 녚 은댕이 예데가리밭*에서 / 하로밤 뽀오한 흰 김 속에 접시 귀소기름 불이 뿌우현 부엌에 / 산멍에* 같은 분틀*을 타고 오는 것이다 [백석, <국수>에서]

* 예데가리밭: 대여섯 낮 동안 갈 정도 넓이의 밭.
* 산멍에: 뱀과의 하나인 '산무애뱀'의 고어.
* 분틀: 국수틀.

-『고등학교 문학』

[문제 1] 【가】에 제시된 한글 맞춤법 제1장 제1항에서 한글 맞춤법의 대상을 밝히고 나서 서로 상충되는 두 가지 원리를 설명하고, 제2항의 아래에 제시된 예시를 참조하여 제1항과 제2항을 규정한 궁극적인 목적이 무엇인지 밝히시오. 그리고 【가】가 추구하는 목적을 참조하여 【나】와 【다】에 있는 문제점을 파악하여 제시하고, 그런데도 불구하고 【라】와 같은 문학작품이 쓰인 이유를 밝히시오.

<310~350자> [30점]

※ 다음 제시문을 읽고 물음에 답하시오.

【가】 사람의 인생이 늘 화려한 장밋빛인 것만은 아니다. 누구나 살아가면서 힘든 일을 겪게 마련이다. 그 과정에서 힘든 상황을 이기지 못하고 간혹 극단적인 선택을 하는 경우도 있다. 사람들은 현재의 삶이 고통스러워 죽음을 선택하기도 하고, 어떤 사람들은 자기 신체 결정권을 강조하면서 자살을 정당화하기도 한다.

－『고등학교 생활과 윤리』

【나】 다윈은 각기 다른 모양의 부리를 갖고 있는 핀치새를 보고 영감을 얻어 생물들이 자연 선택의 과정을 거쳐 환경에 적응한 종만 살아남아 발전한다는 진화론을 주장하는 『종의 기원』을 출판하였다.

－『고등학교 세계사』

【다】 공리주의는 가치 판단의 기준을 효용과 행복의 증진에 두는 사상이다. 그리고 가능한 한 많은 사람의 행복을 최대한 증진할 수 있는지를 옳고 그름의 기준으로 삼는다. 공리주의 윤리를 창시한 사상가인 벤담은 행복을 쾌락으로 보았다. 벤담은 행위의 옳고 그름을 판단할 때, 개인뿐만 아니라 사회적 차원에서도 쾌락의 증가와 고통의 감소를 고려해야 한다고 보았다. 벤담이 제시한 공리의 원리에 따르면, 하나의 행위는 그와 관련된 얼마나 많은 사람들이 얼마나 큰 행복을 얻느냐에 따라 옳고 그름이 결정된다. 그래서 공리의 원리를 최대 다수의 최대 행복의 원리라고 한다.

－『고등학교 윤리와 사상』

【라】 불교에서는 속세에 있는 신남(信男)·신녀(信女)가 지켜야 할 다섯 가지 금계를 오계(五戒)라고 한다. 오계 중 첫 번째 계율인 불살생(不殺生)은 살아 있는 것을 죽이지 말라는 것으로, 다른 생명뿐만 아니라 자신의 생명도 해쳐서는 안 된다는 것을 의미한다. 덧붙여서 기독교에서는 인간의 생명을 신이 주신 선물로 해석한다. 따라서 신의 뜻을 저버리고 자신을 함부로 해쳐서는 안 된다.

－『고등학교 생활과 윤리』

【마】 정언 명령은 "네가 너 자신의 인격에서나 다른 모든 사람의 인격에서 인간을 항상 동시에 목적으로 대하고, 결코 한낱 수단으로 대하지 않도록 그렇게 행위하라."라고 명한다. 자살하려는 사람은 과연 자신의 행위가 목적 그 자체로서의 인간성의 이념과 양립할 수 있는가를 스스로 물을 것이다. 만약 그가 힘겨운 상태에서 벗어나기 위해 자신의 생명을 파괴하는 것이라면, 그는 자신의 인격을 생이 끝날 때까지 견딜 만한 상태로 보존하기 위한 한낱 수단으로 이용하는 것이다.
그러나 인간은 물건이 아니므로 한낱 수단으로 사용될 수 있는 것이 아니며, 오히려 그의 모든 행위에서 항상 목적 그 자체로 보아야 한다. 그러므로 나는 나의 인격 안에서 인간에 대해 아무것도 처분할 수 없으니, 인간을 불구로 만들거나 훼손하거나 죽일 수 없다.

－『고등학교 생활과 윤리』

[문제 2] 【가】에서 제시한 사회 문제를 【나】와 【다】의 입장을 통합하여 설명하고, 그 설명의 문제점을 【라】와 【마】의 입장에서 비판하시오.  <410~450자> [30점]

※ 다음 제시문을 읽고 물음에 답하시오.

【가】 인공 지능, 드론, 사물 인터넷(IoT), 3D 프린팅 등 이전에 없던 새로운 기술이 등장하면서 새로운 산업 지형도를 만들어 가고 있다. 정보화 사회인 지금보다 훨씬 빠른 통신망을 근간으로 하는 4차 산업 혁명은 융합과 개인화, 맞춤화 등이 키워드이다. 3차 산업혁명과 달리 정보 통신 기술과 오프라인, 정보 통신 기술과 정보 통신 기술 등이 결합하여 생각지도 못한 서비스와 제품이 만들어진다.

-『고등학교 통합사회』

【나】 인더스트리 4.0은 정보 통신 기술과 제조업을 융합하여 국가 경쟁력을 제고하기 위해 2012년 이래 독일 정부와 기업이 힘을 모아 추진하고 있는 국가적 차원의 프로젝트이다. (……) '4차 산업 혁명'은 사이버 물리 시스템(CPS)을 바탕으로 제조업에 과학 기술 시스템을 결합하여 완전한 자동 생산 체계가 구축되는 것을 말한다. 즉 인더스트리 4.0은 곧 4차 산업 혁명을 의미하는 것이다. 4차 산업혁명은 현재 정보 사회로 진입하고 있는 세계가 가장 주목하고 있는 산업 분야의 거대한 흐름으로, 보다 빠르고 정확하게 제품을 개발하고 제조 원가를 낮출 뿐 아니라 생산 과정에서의 산업 재해를 최소화하는 등의 긍정적 효과를 기대할 수 있다. 이처럼 생산 환경이 급격하게 변화하는 데 적극적으로 대응하지 않는다면 기존의 제조업이 경쟁력을 상실하게 됨에 따라 기업이 연쇄적으로 도산하거나 대량 실업이 발생할 수 있을 것이다.

-『고등학교 사회·문화』

【다】 최근에는 가상 현실로 삶의 공간 개념이 확대되고 있다. 그리고 생명 공학은 난치병 치료와 회생 불가능한 환자의 생명을 연장하는 데 이바지함으로써 미래의 산업 발전을 주도할 것으로 예측된다. (……) 그러나 과학 기술 발달에 따른 미래 사회에는 부정적 측면도 전망된다. 정보 통신 기술에 따른 정보 격차, 전자 감시 체계, 개인 정보 유출, 인터넷 중독 등과 같은 문제가 심화될 수 있다. 또한 생명 공학의 발달로 인간의 정체성과 도덕적 가치의 혼란이 발생할 수 있다. 한편, 생태계의 변화 속도 역시 빨라질 것으로 예측된다. (……) 최근의 환경 문제는 국가나 지역의 수준을 넘어서 전 지구적 차원에서 인류의 생존을 위협하고 있다.

-『고등학교 통합사회』

【라】 '로봇에 세금을 부과해야 한다'는 논제에 대한 토론

찬성: 과거와 달리 현재는 산업 구조가 고도화되어 직업 재교육의 과정도 복잡해졌습니다. 영국의 경제학자 홀데인은 로봇 도입으로 미국 내 8,000만 개 일자리가 위기에 처했으며, 이 중 대부분이 상대적으로 교육을 덜 받은 저소득 단순 노동직이라고 예상했습니다. 이는 새로운 일자리가 생기더라도 실직자들이 재취업 기회를 얻기 힘들고, 빈곤층으로 전락할 수 있다는 것을 의미합니다. 로봇에 세금을 부과하면 실직한 노동자의 재교육 비용과, 빈부 격차에 따른 복지 재원을 확보할 수 있을 것입니다. 따라서 저희는 로봇에 세금을 부과해야 한다고 생각합니다. (……)

반대: (……) 첫째, 세금을 부과하면 로봇의 도입이 늦어져 새로운 산업과 로봇 기술의 발전이 저해될 수 있기 때문입니다. 산업 혁명 시절 방적기나 증기 기관에 세금을

부과했다면 산업 발달이 늦어졌을 것입니다. 둘째, 로봇만을 실직의 주범으로 몰아 과세하는 것은 형평성에 어긋나기 때문입니다. 항공기 탑승권 발급 기계나 은행의 현금 인출기도 노동자의 실직을 유발했지만, 세금을 부과하지는 않았습니다.

-『고등학교 화법과 작문』

【마】 기본 소득 제도는 직업 유무에 상관없이 정부가 모든 국민에게 일정액을 나눠 주는 정책을 말한다. 일을 하지 않아도 정부가 돈을 주겠다는 개념은 자본이 노동력을 급속히 대체하는 자동화 사회 때문에 나왔다. 세계경제포럼(WEF)은 2020년까지 인공 지능(AI) 등 로봇이 노동 현장에 투입되면서 향후 500만 개의 일자리가 사라질 것으로 전망했고, 경제 협력 개발 기구(OECD)는 이미 미국 일자리의 9%가 사라질 위기에 처했다고 진단했다. 인공 지능과 로봇이 많은 부분을 담당하게 되면 대다수 근로자는 일자리를 잃게 되고, 소득이 없으며 소비를 할 수도 없다. 즉 비자발적 실업으로 인해 절대적 빈곤이 늘어날 수 있다는 분석이다.

-『고등학교 사회·문화』

【바】 기업은 생산 활동을 통해 국민 경제에 필요한 재화와 서비스를 공급하고 이윤을 극대화하지만, 그 과정에서 혁신을 통해 사회를 더 풍요롭게 한다. 나아가 여러 가지 사회 공헌을 통해 사회적 책임을 다하려고 노력하기도 한다. (……) 기업가 정신이 충만한 기업가는 새로운 사업 영역을 창출하고 신제품 개발에 도전하며, 새로운 시장 개척에 앞장선다. (……) 한 사회에 기업가 정신이 충만한 혁신적인 기업가가 많을수록 그 사회의 경제는 활력이 넘친다. 소비자는 품질이 개선된 상품과 새로운 상품들을 소비할 수 있으며, 노동자들은 새로운 분야에서 취업의 기회가 확대된다.

정부는 시장의 불완전성을 보완함으로써 시장 경제가 원활히 작동할 수 있도록 법적·제도적 기반을 제공한다. (……) 정부는 조세와 정부 지출을 통해 자원의 효율적 배분, 소득 재분배, 경제 안정화 등 다양한 기능을 수행한다. (……) 시장의 한계는 시장 실패 외에 소득 분배 불평등이나 급격한 경기 변동에 서도 드러난다. 정부는 시장 실패의 개선뿐만 아니라 시장의 문제점을 보완하기 위해 시장에 개입한다. 그러나 정부의 개입이 문제를 충분히 해결하지 못하거나 오히려 이를 악화시키기도 하는데, 이를 정부 실패라고 한다.

-『고등학교 경제』

[문제 3] 제시문 【가】, 【나】, 【다】에 나타난 4차 산업 혁명의 장점과 단점을 요약하고, 【바】의 기업과 정부의 역할에 대한 내용을 적용하여 【라】의 로봇세와 【마】의 기본 소득 세노와 같은 조세와 보조금을 통한 정부의 개입 정책에 대해 찬성 또는 반대 의견을 제시하시오.

<650-700자> [40점]

# 11. 2021학년도 동국대 수시 논술 (인문계열 Ⅱ)

※ 다음 제시문을 읽고 물음에 답하시오.

**【가】** 국외를 떠돌다 어렵게 국내로 돌아온 우리의 소중한 문화유산이 있다. 신미양요 때 미군이 빼앗아간 어재연 장군의 수자기는 미군 해군 사관 학교 박물관에, 병인양요 때 프랑스군이 약탈해 간 외규장각 도서는 프랑스 국립 도서관에 보관되다가 우여곡절 끝에 2007년과 2011년에 고국으로 돌아왔다.

하지만 이 두 문화유산은 완전 반환된 것이 아니다. 어재연 장군의 수자기는 2년마다 갱신해 대여 기간을 연장하는 '장기 대여' 방식으로, 외규장각 도서는 5년마다 갱신하는 '영구 임대' 형식으로 돌아왔다.

아직도 수많은 약탈 문화재가 국외에 흩어져 있다. 약탈 문화재는 원소유국에 반환하는 것이 원칙이지만, 이를 보유한 국가들은 자국의 법을 내세워 완전 반환에 소극적이다.

-『고등학교 한국사』

**【나】** 서구 열강과 일본의 이권 침탈 경쟁이 치열해지는 가운데, 크리스트교에 대한 중국인의 반감도 커졌다. 이러한 상황에서 청 왕조를 도와 서양 세력을 몰아내자는 의화단 운동이 일어났다. 의화단은 교회와 철도를 파괴하고 외국 공사관까지 공격하였다. 청 정부도 '부청멸양'을 내세운 의화단을 이용하여 서구 열강에 대항하려고 하였다. 그러나 서구 열강과 일본은 연합군을 조직하여 의화단 진압에 나섰고, 그 과정에서 베이징을 점령하였다. 청 정부는 연합군과 신축 조약(베이징 의정서)을 체결하여 배상금을 지급하고 외국 군대의 베이징 주둔을 허용하였다(1901).

-『고등학교 동아시아사』

**【다】** 오늘날 국제 사회의 여러 국가는 정치, 경제, 역사 등 다양한 영역에서 분쟁을 겪고 있다. 그런데 이러한 분쟁을 물리적 힘에 의한 방식으로 해결하려 하면 분쟁 당사국 모두에 큰 피해를 가져올 수 있다. 따라서 국제 분쟁은 평화적 수단으로 해결되는 것이 바람직하다.

국제 분쟁의 평화적 해결 방법에는 크게 외교적 해결과 사법적 해결이 있다. 외교적 해결은 분쟁 당사국이 충분한 논의와 이견 조율을 거쳐 분쟁 해결의 원칙이나 절차에 합의하고, 협상을 통해 해결책을 마련하는 방식이다. 이는 당사국이 직접 양보와 타협을 통해 원만한 합의를 이끌어내는 방식이라는 점에서 우선적인 국제 분쟁의 해결 방식이라고 할 수 있다.

당사국 간의 협상이 원만히 이루어지지 않을 때 국제기구와 같은 제 3자의 도움을 활용하는 방법도 외교적 해결이라 할 수 있다. 최근에는 무역 관련 분쟁이 증가하면서 세계 무역 기구와 같은 경제 분야의 국제기구를 활용하여 분쟁을 해결하는 경우가 늘고 있다.

분쟁 당사국이 외교적으로 적절한 해결 방법을 찾지 못했을 때, 국제 사법 재판소와 같은 국제 사법 기관에 제소하여 분쟁을 해결하는 사법적 해결 방법도 있다. 이러한 방식은 분쟁 당사국의 이해관계를 떠나 국제법을 적용하여 분쟁을 해결하기 때문에 비교적 공정한 해결을 기대할 수 있으나, 분쟁 당사국이 판결에 불복할 경우, 판결 결과를 강제하기 어렵다는 한계가 있다.

......

그리고 정부의 공식적 외교뿐만 아니라 문화, 예술, 환경, 스포츠 등 다양한 분야에서 민간 외교 자원을 적극적으로 활용할 필요가 있다. 상당수의 국제 문제는 각국 정부뿐만 아니라 시민 단체, 다국적 기업, 지방 자치 단체 등이 함께 힘을 모을 때 효과적으로 풀 수 있다. 따라서 우리 외교가 더욱 힘을 발휘하기 위해서는 다양한 국제 행위 주체가 지닌 외교적 역량을 적극적으로 활용해야 한다.

-『고등학교 정치와 법』

【라】 민주주의는 자유롭고 평등한 시민들이 공공의 문제 해결을 위해 정치에 참여하고 연대할 때 발전할 수 있다. 그러한 시민의 역량이 정치 발전의 원동력이기 때문이다. 그리고 이를 바탕으로 정치적 평등을 실현할 때, 민주주의는 온전히 구현될 수 있다.

......

민주주의의 이상을 실현하려면, 시민들이 책임감을 지니고 공공의 문제를 해결하는 데 적극적으로 참여해야 한다. 그리고 사회적 갈등을 풀어 가는 과정에서도, 상호 존중에 뿌리를 두고 공동의 가치와 공동선에 관한 관심을 공유할 수 있어야 한다. 나아가 개인이나 집단 간의 갈등을 다룰 때 양자의 관점을 두루 살피며, 숙의할 수 있는 능력을 갖추어야 한다.

-『고등학교 윤리와 사상』

[문제 1] [다]의 관점에서 [나]에서 언급한 의화단 운동을 비판하고, [가]의 문제를 해결하기 위해 정부와 시민이 해야 할 일을 [다]와 [라]를 바탕으로 서술하시오.

<360~420자> [30점]

※ 다음 제시문을 읽고 물음에 답하시오.

【가】 한 국가의 전체적인 경제 활동 수준은 확장과 수축을 반복하며 변화하는데 이를 경기 변동이라고 한다. 경기가 확장하는 시기에는 투자와 고용이 늘어나고 국민 소득이 증가한다. 반면에 경기가 수축하는 시기에는 투자가 감소하고 실업이 증가하며 국민 소득이 감소한다.

정부는 경제 성장, 물가 안정, 고용 창출 등을 위해 정부 지출과 조세를 조절하여 총수요를 관리하는 데 이를 재정 정책이라고 한다. 정부는 시장에서 다양한 재화와 서비스를 구입하며 교육이나 국방과 같은 공공재를 공급하기도 한다. 이 과정에서 정부 지출이 발생하는데 경기 상황에 따라 정부 지출을 늘리거나 줄임으로써 경기 안정을 도모할 수 있다.

-『고등학교 경제』

【나】 중앙은행이 통화량이나 이자율을 조절하여 경기를 안정화하는 정책을 통화 정책(금융 정책)이라고 한다. 통화량은 시중에 유통되는 화폐의 양이다. 통화량이 증가하면 화폐 가치의 하락으로 이자율이 낮아지고, 통화량이 감소하면 화폐 가치의 상승으로 이자율이 높아진다. 이러한 통화량과 이자율의 변동은 가계의 소비와 기업의 투자에 영향을 주어 총수요를 변화시킨다. 중앙은행이 통화량이나 이자율을 조절하는 방법에는 공개 시장 운영, 지급 준비(금) 제도, 여·수신 제도 등이 있다.

-『고등학교 경제』

【다】 2013년부터 돈 풀기 전략으로 경기 부양을 시도했던 일본은행이 현행 정책을 앞으로도 유지하겠다고 밝혔다. 일본은행 총재는 임금 상승에 따른 경기 활성화가 머지않았다며 당장 정책을 바꾸지 않겠다고 하였다. …… 일본은행 총재는 비록 기업의 임금 상승이 더디긴 하지만 진척이 있다며 "한번 임금 인상이 확산되면 기업과 가계의 중장기 물가 상승 기대감이 점진적으로 오르면서 실제 물가 상승률도 2% 목표에 가까워지게 될 것"이라고 예상하였다.

-『고등학교 경제』

【라】 지난달 15~29세 청년 실업률이 10.9%를 기록하였다. 지난 2월 이후 석 달째 두 자릿수를 나타냈다. 통계청이 발표한 '4월 고용 동향'에 따르면 지난달 청년 실업률은 4월 기준으로 역대 최고치를 기록하였다. 특히 2~4월 청년 실업률은 월별 기준으로 사상 최고치를 이어 가고 있다.

-『고등학교 사회·문화』

【마】 영화 <쇼퍼홀릭>의 주인공 레베카는 명품의 유혹 앞에 한없이 나약해져서 마음에 드는 물건이 눈에 띄면 어느새 지갑에서 신용 카드를 꺼내 든다. ……

많은 사람이 마치 자신의 소득인 양 신용 카드를 쓰지만, 내 지갑에 꽂혀 있는 신용 카드라고 하더라도 내 돈은 아니다. …… 신용 카드는 현금 없이도 물건을 사고 돈을 빌릴 수 있어 다양한 선택의 기회를 제공하지만, 그 편리함만큼이나 금전 감각을 무디게 만들어 나도 모르는 사이에 빚더미에 오르게 할 수 있는 위험성도 지니고 있다.

-『고등학교 통합사회』

[문제 2] [다]와 [라]의 경제 상황을 개선하기 위해 [가]와 [나] 중 각기 적합한 정책 수단을 선택하여 설명하시오(조건: [가]의 경우 정부지출과 조세정책으로 [나]의 경우 공개시장 운영, 지급 준비(금) 제도, 여·수신 제도로 나누어 투자, 고용, 물가, 국민 소득에 미치는 영향에 대해 기술하시오). 그리고 [마]를 참고하여 재정정책과 통화정책의 부정적 측면에 대해 서술하시오.

<420~480자> [30점]

※ 다음 제시문을 읽고 물음에 답하시오.

【가】 나는 '나'를 허투루 간수했다가 '나'를 잃은 사람이다. 어렸을 때는 과거 시험을 좋게 여겨 그 공부에 빠져있었던 것이 십 년이다. 마침내 조정의 벼슬아치가 되어 사모관대에 비단 도포를 입고 백주 대로를 미친 듯 바쁘게 돌아다니며 십이 년을 보냈다. 그러다 갑자기 상황이 바뀌어 친척을 버리고 고향을 떠나 한강을 건너고 문경 새재를 넘어 아득한 바닷가 대나무 숲이 있는 곳에 이르러서야 멈추게 되었다. 이때 '나'도 땀을 흘리고 숨을 몰아쉬며 허둥지둥 내 발뒤꿈치를 쫓아 함께 이곳에 오게 되었다. 나는 '나'에게 말했다.

"너는 무엇 때문에 여기에 왔는가? 여우나 도깨비에게 홀려서 왔는가? 바다의 신이 불러서 왔는가? 너의 가족과 이웃이 소내에 있는데, 어째서 그 본고장으로 돌아가지 않는가?"

그러나 '나'는 멍하니 꼼짝도 하지 않고 돌아갈 줄을 몰랐다. 그 안색을 보니 마치 얽매인 게 있어 돌아가려 해도 돌아갈 수 없는 듯했다. 그래서 '나'를 붙잡아 함께 머무르게 되었다.

이 무렵, 내 둘째 형님 또한 그 '나'를 잃고 남해의 섬으로 가셨는데, 역시 '나'를 붙잡아 함께 그곳에 머무르게 되었다.

유독 내 큰형님만이 '나'를 잃지 않고 편안하게 수오재에 단정히 앉아 계신다. 본디부터 지키는 바가 있어 '나'를 잃지 않으신 때문이 아니겠는가? 이것이야말로 큰형님이 자신의 서재 이름을 '수오'라고 붙이신 까닭일 것이다. 일찍이 큰형님이 말씀하셨다. 소내

"아버지께서 나의 자(字)를 태현(太玄)이라고 하셨다. 나는 홀로 나의 태현을 지키려고 서재 이름을 '수오'라고 하였다."

이는 그 이름 지은 뜻을 말씀하신 것이다.

맹자께서 말씀하시기를, "무엇을 지키는 것이 큰일인가? 자신을 지키는 것이 큰일이다."라고 하셨는데, **참되도다**, 그 말씀이여!

드디어 내 생각을 써서 큰형님께 보여 드리고 수오재의 기문(記文)으로 삼는다.

사모관대 : 예전에 벼슬아치가 입던 옷과 모자.
소내 : 현재 경기도 남양주시 조안면 능래리로, 작가의 고향임.
태현(太玄) : 심오하고 현묘한 이치,또는 '눈에 보이지 않는 우주의 본질'을뜻함.
-『고등학교 독서』

【나】 「수오재기」는 다산 정약용이 큰형님인 정약현이 서재에 붙인 이름의 의미에 대해 쓴 글이다. 글쓴이는 '나'를 외부 환경이나 세상의 유혹에 흔들리기 쉬운 **현상적 자아**와어떤 상황에서도 흔들리지 않는 **본질적 자아**로 구분하고, 본질적 자아인 '나'를 지켜야 함을 이야기한다. 한편 이 글은 한문 문학 양식 가운데 하나인 '기(記)'에 해당한다. '기(記)'는 글쓴이가 겪은 어떤 사건이나 경험을 기록한 것으로, 교훈이나 깨달음을 주는 글이 많다. 이 글도 글쓴이의 경험을 바탕으로 삶에 대한 성찰을 제공함으로써 독자들이 자신의 삶을 되돌아보고, 삶에서 지켜야 할것을 생각하게 한다.

-『고등학교 독서』

【다】 창밖에 밤비가 속살거려/ 육첩방은 남의 나라, // 시인이란 슬픈 천명인 줄 알면서도 / 한 줄 시를 적어 볼까, // 땀내와 사랑내 포근히 품긴 / 보내 주신 학비 봉투를 받아 // 대학 노―트를 끼고 / 늙은 교수의 강의 들으러 간다. // 생각해 보면 어린 때 동무를 / 하나, 둘, 죄다 잃어버리고 // 나는 무얼 바라 / 나는 다만, 홀로 침전하는 것일까? // 인생은 살기 어렵다는데 / 시가 이렇게 쉽게 씌어지는 것은 / **부끄러운 일이다.** // 육첩방은 남의 나라 / 창밖에 밤비가 속살거리는데, // 등불을 밝혀 어둠을 조금
내몰고, / 시대처럼 올 아침을 기다리는 최후의 나, // 나는 나에게 작은 손을 내밀어 / 눈물과 위안으로 잡는 최초의 악수. <윤동주, 「쉽게 씌여진 시」>

-『고등학교 문학』

【라】 삶의 의미를 묻는 사람과 그렇지 않은 사람의 삶은 큰 차이가 있다. 자신의 행위를 성찰하는 사람은 잘못을 고칠 수 있고, 더 나은 삶을 살아갈 수 있기 때문이다. 윤리적 성찰은 자신의 도덕적 경험을 바탕으로 반성적 사고를 하고, 도덕적 삶의 실천 방향을 결정하는 활동이다. 도덕적 탐구가 사회의 각종 윤리 문제에 대한 이해 및 분석에 중점을 둔다면, 윤리적 성찰은 도덕적 주체의 도덕성에 중점을 둔다. 하지만 도덕적 탐구와 윤리적 성찰은 모두 도덕적 행위의 실천을 추구한다는 점에서 그 지향점이 같다. **특히 윤리적 성찰은 도덕적 주체로서 내가 무엇을 해야 하고, 어떻게 살아야 하는지의 문제를 해명하므로 개인의 도덕성과 도덕적 정체성을 형성하기 위해서 반드시 필요하다.**

-『고등학교 생활과 윤리』

[문제 3] [나]의 현상적 자아와 본질적 자아의 개념을 활용하여 [라]의 '개인의 도덕성과 도덕적 정체성 형성을 위해 반드시 필요한' 윤리적 성찰 행위를 [가와 [다]에 적용하여 설명하시오(조건: [가와 [다]에서 밑줄 친 단어를 통해 특성이 대비되도록 하시오).

<540~600자> [40점]

# 12. 2021학년도 동국대 모의 논술 (인문계열)

※ 다음 제시문을 읽고 물음에 답하시오.

【가】 한국에 온 지 이태*가 되어서야
자기 이름을 겨우 쓸 수 있는 프엉 씨

어디에서 왔냐고 물었더니
호찌민, 버스, 여덟 시간, 까마우, 더워

공부한 지 두 달이 넘었는데도
읽을 수 있는 단어는 열 개 남짓
하지만 모르는 게 없는 생선 이름들

오늘은 수술한 남편 대신 혼자서
생선 장사를 거뜬히 해냈다고

손을 씻어도 비린내는 희미하게 퍼지고
프엉 씨는 발개진 얼굴로 또 미안해한다

가만있자, 프엉은
하노이의 오월을 붉게 물들이는 꽃 이름이 아닌가

종일 고단했는지 붉은 꽃이 깜박

때마침 함박눈이 내려서
딸 이름 설화가 바로 저 눈꽃이라고 일러 준다

방 안에 붉은 꽃, 흰 꽃
두 송이 시들지 않는 꽃이 활짝
(김선향, <붉은 꽃, 흰 꽃>)
*이태 : 두 해

-『고등학교 문학』

【나】 레비나스는 '차이와 타자성'의 개념을 통해 타인을 있는 그대로 받아들이는 자세가 중요함을 강조한다. 그는 이성에 근거한 동일성의 관점에서 상대방을 인식하고 규정하는 것을 일종의 폭력이라고 비판한다. 따라서 타자를 인식하려고 하지 않고, 느끼는 것을 통해 타자와 '얼굴을 마주하는 관계'를 강조한다. (변순용, 『타자의 윤리학』)

-『고등학교 생활과 윤리』

【다】 한국 사회는 2000년대부터 외국인 100만 시대에 접어들면서 전체 인구의 2.3%에 달하는 외국인이 거주하는 다문화 사회에 진입하였다. 이주 노동자와 결혼이민자, 외국인 유학생 등 다양한 형태의 이민자들이 유입되어, 2016년 7월 기준으로 한국에 체류 중인 외국인은 203만 명 이상으로 증가하였다.

　문제는 국내에 거주하는 외국인의 비중이 증가함에 따라 외국인 범죄 또한 증가하고 있다는 점이다. 특히 사회 구성원들에게 큰 충격을 안겨 주는 강력 범죄의 가해자가 외국인으로 밝혀지는 경우가 늘면서 한국 내에 외국인 혐오증이 확산되고 있다.

　한국은 다른 나라에 비해 외국인에 대해 포용적 태도가 부족한 수준이며, 다문화 수용에 있어서도 소극적인 편이다. 또한 외국인 혐오의 양상에는 인종에 따른 차별적 태도도 포함되어 있다. 백인에게는 상대적으로 우호적이지만, 동남아인이나 흑인에 대해서는 거부감을 드러내는 경우가 많다.

-『고등학교 사회 . 문화』

【라】

　경기도 안산 원곡동 국경 없는 마을은 전국에서 외국인 근로자가 가장 많이 거주하는 지역으로 약 50여 개 국가 출신의 외국인을 만날 수 있는, 우리나라의 대표적인 다문화 공간이다. 또 1976년 서울 이태원에 자리한 이슬람 성원을 중심으로 인도네시아, 파키스탄 등 이슬람교를 믿는 국가의 사람들이 주로 모인다. 경남 김해의 구도심인 동상동은 경남의 이태원이라 불릴 정도로 외국인이 많은 찾는 곳으로, 쇠락하던 전통 시장이 이들 덕분에 활기를 되찾았다고 한다.

　'다문화'는 대중문화에서도 하나의 주제로 자리를 잡고 있다. 2000년대 초반에는 외국인 근로자들의 인권침해를 고발하는 다큐멘터리가 주를 이루었으나, 점차 독립영화, 상업 영화의 소재로도 다루어지게 되었다. 또한, 영화 속에서 다문화 사회를 풀어내는 시선도 처음에는 사회적 약자로만 그린데 반해 최근에는 우리와 같은 사회의 구성원이자 동반자라는 인식이 반영되어 있다.

-『고등학교 한국지리』

[문제 1] 한국의 다문화 사회는 긍정적인 측면과 부정적인 측면, 즉 양면성을 지니고 있다. 【다】가 다문화 사회의 부정적인 측면을 보여준다고 할 때, 이와 상반되는 긍정적인 측면을 【가】,【라】를 참고하여 최소 3가지 쓰고, 사회 구성원들이 갖추어야 할 다문화 수용 태도에 대해 제시글 전체를 참고하여 서술하시오.

<유의 사항>
- 다문화 수용 태노와 관련한 서술에서는 제시글의 핵심어를 포함시켜 서술하기 바랍니다.

<12 ~ 14줄 (360 ~ 420자)> [30점]

※ 다음 제시문을 읽고 물음에 답하시오.

【가】청년 실업의 늪이 깊어지는 가운데 '금수저' 부모 덕택에 좋은 직장을 쉽게 잡는 취업 불평등이 만연하고 있다. (……) 이것은 부모의 사회적 지위나 재력이 자식의 취업에 영향을 미치는 모습을 보여준다. 우리는 누구나 이러한 관행이 정의롭지 않다고 느낀다. 취업이 자신의 능력이나 노력으로 결정되지 않고 부모의 사회적 조건에 따라 결정된다면, 이는 각자가 마땅히 받아야 할 몫을 공정하게 받지 못하는 일이라고 생각하기 때문이다.

－『고등학교 통합사회』

【나】우리 다섯 식구는 지옥에 살면서 천국을 생각했다. 단 하루라도 천국을 생각해 보지 않은 날이 없다. 하루하루의 생활이 지겨웠기 때문이다. 우리의 생활은 전쟁과 같았다. 우리는 그 전쟁에서 날마다 지기만 했다. 그런데도 어머니는 모든 것을 잘 참았다. 그러나 그날 아침 일만은 참기 어려웠던 것 같다.

"통장이 이걸 가져왔어요."

내가 말했다. 어머니는 조각 마루 끝에 앉아 아침식사를 하고 있었다.

"그게 뭐냐?"

"철거 계고장예요."

"기어코 왔구나!"

어머니가 말했다.

"그러니까 집을 헐라는 거지? 우리가 꼭 받아야 할 것 중의 하나가 이제 나온 셈이구나!" (……)

아버지는 철거 계고장을 마루 끝에 놓고 책을 읽었다. 우리는 아버지에게서 무엇을 바라지는 않았다. 아버지는 그동안 충분히 일했다. 고생도 충분히 했다. 아버지만 고생을 한 것이 아니다. 아버지의 아버지, 아버지의 할아버지, 할아버지의 아버지, 그 아버지의 할아버지 －또－ 대대로 거슬러 올라간다. 그들은 아버지보다 더 심한 고생을 했을 수도 있다. (……) 나는 어머니의 어머니, 어머니의 할머니, 할머니의 어머니, 그 어머니의 할머니들이 최하층 천인으로서 무슨 일을 해 왔는지 알고 있었다. 어머니라고 달라진 것은 없었다. 마음 편할 날 없고, 몸으로 치러야 하는 노역은 같았다. 우리의 조상은 세습하여 신역을 바쳤다. 우리의 조상은 상속·매매·기증·공출의 대상이었다. (조세희, <난장이가 쏘아올린 작은 공>)

－『고등학교 문학』

【다】 애초에 출발점이 다르다면 그 경기를 공정하다고 할 수 있을까? 롤스는 말한다. "애초에 뛰어난 능력을 타고날 자격이 있거나 사회에서 다른 사람보다 유리한 출발선에 설 자격이 있는 사람은 없다." 따라서 개인의 타고난 재능과 사회적 여건 등 우연적인 것, 즉 행운의 요소를 통해 이익이 분배되면 안 되는 것이다.

롤스는 사람들은 자신의 타고난 재능을 공동자산으로 여겨야 하며, 태어나면서 혜택을 받은 사람은 혜택을 받지 못한 사람들의 상황을 개선한다는 전제에서만 자신의 행운을 이용해 이익을 얻을 수 있다고 보았다. 즉 롤스는 최소 수혜자를 포함해 모든 이에게 이득을 주는 경우에만 사회적·경제적 불평등이 인정된다고 하였다.

-『고등학교 생활과 윤리』

【라】 노직은 개인의 권리를 보호하고 존중하는 것을 정의라고 본다. 그는 개인이 정당한 취득과 양도의 과정을 거쳐 얻게 된 소유물에 대해서는 배타적인 권리를 지니며 소유물의 처분도 전적으로 그에게 달려있다고 주장한다. 하지만 취득과 양도의 과정에 부정의가 있었다면 바로잡아야 한다고 본다.

노직에 따르면, 근로소득에 대한 과세는 강제노동과 동등한 것이다. 일정시간 분의 소득을 세금으로 취하는 것은 노동자로부터 그 시간을 빼앗는 것과 같다. 이는 마치 노동자에게 다른 사람을 위해 그 시간만큼 일하게 하는 것과 같다.

-『고등학교 윤리와 사상』

【마】 자유주의적 정의관에서는 선택의 자유와 공정한 기회를 보장해주고, 개인의 선택과 무관하게 발생하는 불평등을 바로잡을 수 있는 원칙을 만들기 위해 노력한다. 자유주의적 정의관에서는 각자가 자신의 선택과 행동을 이끌어 나갈 합리적인 사고와 판단 능력을 가지고 있다고 본다. 따라서 개인의 자유롭고 합리적인 판단을 토대로 사회 구성원들의 기회와 권리를 함께 지켜 나갈 수 있는 것이다.(……)

자유주의와 자유 지상주의는 개인의 자유와 권리를 중시한다는 점에서는 공통점을 가지고 있다. 하지만 자유 지상주의자들은 개인의 자유를 최대한 보장할 수 있는 방법으로 최소국가론을 제시한다. 국가는 개인의 권리를 보장하기 위해 최소한의 역할만 수행해야 하며, 이를 넘어서는 국가 체제는 개인의 권리를 침해할 수 있다고 주장한다.

-『고등학교 통합사회』

[문제 2] [가]와 [나]는 우리 사회의 부정의를 보여주며, [다]~[마]는 서로 다른 두 개의 정의론을 설명하고 있다. [다] 입장을 통해 [가]와 [나]의 내용을 평가하고 [라]의 정의론을 비판하거나, [라]의 입장을 통해 [가]와 [나]의 내용을 평가하고 [다]의 정의론을 비판해 보시오.

<유의 사항>
- 문제의 두 입장 중, 수험생이 지지하는 입장을 하나 선택하여 논리적으로 서술하시오.

<12 ~ 14줄 (360 ~ 420자)> [30점]

※ 다음 제시문을 읽고 물음에 답하시오.

【가】 우리가 저녁 식사를 기대할 수 있는 건 푸줏간 주인, 양조장 주인, 빵집 주인의 자비심 덕분이 아니라, 그들이 자기 이익을 챙기려는 생각 때문이다. 우리는 그들의 박애심이 아니라 자기애에 호소하며, 우리의 필요가 아니라 그들의 이익만을 이야기할 뿐이다. 그들은 공익의 증진을 의도적으로 목표로 삼을 때보다 자기 자신만의 이익을 추구할 때 오히려 더 효과적으로 사회 전체의 이익을 도모하게 된다. (애덤 스미스, <국부론>)

- 『고능학교 윤리와 사상』

【나】 우리가 어떤 선택을 함으로써 얻게 되는 이득을 편익이라고 한다. 편익은 제빵업자가 빵을 만들어 판매함으로써 얻는 판매 수익과 같은 금전적인 이득뿐만 아니라 소비자가 빵을 소비함으로써 얻는 정신적 만족감 등과 같은 비금전적인 것도 포함한다.

만약 어떤 선택을 할 때 포기하는 것이 없다면 편익이 큰 것을 선택하는 것이 가장 합리적인 선택일 것이다. 하지만 우리는 일상생활에서 어떤 선택을 할 때 항상 무엇인가를 포기해야 하므로, 합리적인 선택을 하기 위해서는 포기한 대안들의 가치도 고려해야 한다. 어떤 선택을 할 때 들어간 비용, 즉 선택을 위해 직접 지불한 비용을 명시적 비용이라고 한다. 한편 화폐로 직접 지불하지는 않았지만 어떤 선택으로 인해 포기한 다른 대안의 가치를 암묵적 비용이라고 한다.

우리가 어떤 선택을 할 때는 항상 기회비용을 고려해야 하는데, 이때 기회비용이란 명시적 비용과 선택으로 인해 포기한 대안의 가치(암묵적 비용) 중 가장 큰 것을 합친 것이다.

- 『고등학교 경제』

【다】 경제 세계화의 확대에 따라 세계를 무대로 하여 판매 및 생산 활동을 하는 다국적 기업이 성장하고 있다. 다국적 기업은 노동, 기술, 경영 등 생산 요소를 고려하여 기업의 관리, 연구, 생산 기능을 분리 배치함으로써 시장을 확대하고 이윤을 극대화하고자 하는데, 이를 공간적 분업이라고 한다. (……)

경제 세계화의 영향으로 소비자들은 전 세계의 값싸고 다양한 상품을 자유롭게 선택할 수 있게 되었다. 또한 기업은 국제 시장에서 더 많은 상품을 팔 수 있게 되었으며, 외국 기업들과 경쟁하는 과정에서 우위를 차지하기 위해 기술을 개발하고 품질 관리를 위해 노력하게 되었다.

그러나 경제 세계화에 따른 자유 무역의 확대로 국가 간 빈부 격차가 커지기도 한다. 국가 간 무역에서 선진국은 주로 고부가 가치의 첨단 산업과 금융 서비스 등 생산자 서비스를 담당하고 개발 도상국은 주로 값싼 노동력이 필요한 제조업과 농업 부문을 담당하면서, 이들 국가 간의 경제적 격차가 더욱 커질 수 있다.

- 『고등학교 세계지리』

【라】 선진국과 개발 도상국 사이의 불공정한 무역 구조에서 발생하는 부의 편중, 노동력 착취 등의 문제를 해결하기 위해 나타난 무역 형태를 공정 무역이라고 한다. 공

정 무역은 다국적 기업 등이 자유 무역을 통해 이윤을 극대화하는 과정에서 적정한 몫을 분배받지 못하여 빈곤에 시달리는 개발 도상국의 생산자와 노동자를 보호하려는 목적을 갖는다. (……) 공정 무역은 생산자에게 최저 구매 가격을 보장하는 등 공정한 가격을 지불하고, 생산자 단체와 직거래하여 유통 과정을 줄임으로써 생산자에게 합당한 이윤이 돌아갈 수 있게 한다. 또한 단기 계약보다는 장기 계약을 통해 안정적인 노동 환경을 추구하며, 아동 노동 착취를 근절하고 환경 보호를 위해 노력할 것을 요구한다. 따라서 공정 무역은 정의로운 국제 무역 질서를 확보하고, 노동자의 인권을 보호하며 환경을 보전한다는 윤리 가치를 지향한다.

-『고등학교 생활과 윤리』

[문제 3] [다]는 [가]와 [나]에서 제시된 원리를 추구한 결과로 이해할 수 있고, [라]는 [다]가 초래한 문제를 해결하기 위한 노력으로 이해될 수 있다. 다음의 순서로 구성된 논술을 작성하시오.

 (1) [다]의 현실에 [가]와 [나]가 어떻게 기여하였는가?
 (2) [가]와 [나]의 논리가 [라]를 정당화할 수 있는지 없는지 밝히고, 그 이유를 서술하시오.

<15 ~ 20줄 (700 ~ 800자)> [40점]

# 13. 2020학년도 동국대 기출 논술 (인문계열 Ⅰ)

※ 다음 제시문을 읽고 물음에 답하시오.

【가】 플라톤의 이상주의 윤리는 이데아(idea)의 세계와 현실의 세계라는 구분을 바탕으로 한다. 그에 따르면 이데아는 사물의 불변하는 본질이다. 예를 들어 현실에는 아름다운 사람, 아름다운 노을, 아름다운 그림 등이 존재하는데 이때 이 모든 것들을 아름답게 만드는 것, 즉 아름다움의 본질이 아름다움의 이데아이다. 마찬가지로 현실에 존재하는 수많은 삼각형을 삼각형이도록 하는 삼각형의 본질이 삼각형의 이데아이다. 반면 우리가 현실에서 보는 아름다움이나 삼각형은 불완전한 것으로서 이데아를 모방한 그림자에 불과하다. 플라톤은 이러한 이데아와 현실의 관계를 동굴의 비유를 통해서보다 구체적으로 설명한다.

우리는 평생 동안 계속 동굴 안에 묶여 있는 죄수와 같아서 오직 우리 앞에 놓여 있는 동굴의 벽면만을 쳐다볼 수 있다. 그리고 죄수들 뒤에 있는 담 위로 사람들과 여러 동물들의 상이 지나가게 되어 벽면에는 그들의 그림자만 비치게 되며 담의 뒤쪽에는 빛의 근원이 되는 불이 타오르고 있다. 벽면의 그림자 외의 다른 어떤 것도 보지 못하고 그림자가 비치게 되는 체계를 전혀 알지 못하는 죄수들은 그림자가 진정한 사람과 동물이라고 굳게 믿을 것이다. - 플라톤, "국가"

위의 동굴의 비유를 통해 알 수 있는 것처럼, 그림자는 이데아를 어느 정도 반영하기는 하지만 이데아 그 자체는 아니다. 그럼에도 동굴에 갇힌 이들은 오로지 그림자의 모습만을 보기 때문에 그림자를 사물의 불변하는 본질, 즉 이데아로 착각한다. 따라서 플라톤은 그림자의 세계에서 벗어나 참된 실재¹인 이데아의 세계로 나아가야 한다고 주장하였다.

- 고등학교 윤리와 사상

¹. 실재(實在): 실제로 존재함 또는 사물의 본질적 존재

【나】 아리스토텔레스는 플라톤의 아카데메이아¹ 학당에서 오랜 기간 머물면서 그의 사상에 많은 영향을 받았다. 그는 플라톤의 영향을 받아 인간과 사회의 본질에 대한 깊은 관심을 보였으며, 인간의 이성을 중심으로 하는 윤리 사상을 전개하였다. 하지만 그의 윤리 사상은 플라톤과는 달리 이상과 더불어 현실을 중시하는 방향으로 나아갔다. 다음 그의 글을 살펴보자.

실재로서 존재하는 것(실체)과 그것이 실재하도록 하는 것(이데아)이 서로 분리되어 존재한다는 것은 불가능하다. 어떻게 사물들의 실체인 이데아가 실재 존재하는 사물과 분리되어 존재할 수 있겠는가? - 아리스토텔레스, "니코마코스 윤리학"

이처럼 아리스토텔레스는 플라톤이 이데아의 세계와 현실의 세계를 구분한 것을 비

판하면서, 이 세상은 수많은 개별적인 실체들로 이루어진 하나의 세계라고 주장하였다. 따라서 그는 선(善) 또한 이데아의 세계가 아닌 우리가 사는 현실 세계에 존재하며 현실 세계에서 실현되어야 하는 것이라고 주장하였다.

 (……) 그에 따르면 인간이 진정한 행복을 누리기 위해서 필요한 것은 덕(德)이 있는 삶이다. (……) 아리스토텔레스는 이러한 덕의 실현에 있어 사회적 측면도 중요하다고 보았다. 덕이 있는 사람이 되기 위해서는 공동체의 구성원으로서 사회적 책무에 충실해야 하며, 따라서 사회 내에서 주어지는 의무와 바람직한 역할을 고려하는 것이 마땅하다고 보았기 때문이다.

- 고등학교 윤리와 사상

1. 아카데메이아(Acadēmeia): 기원전 387년경에 플라톤이 고대 그리스의 아테네 교외에 세운 학교

【다】 재작년이던가 여름날에 있었던 일이다. 날씨가 화창하여 밀린 빨래를 해치웠다. 성미가 비교적 급한 나는 빨래를 하더라도 그날로 풀을 먹여 다려야지 그렇지 않으면 찜찜해서 심기가 홀가분하지 않다. 그날도 여름 옷가지를 빨아 다리고 나서 노곤해진 몸으로 마루에 누워 쉬려던 참이었다. 팔베개를 하고 누워서 서까래 끝에 열린 하늘을 무심히 바라보고 있었다. 하, 이것 봐라 하고 나는 벌떡 일어나, 이번에는 가랑이 사이로 산을 내다보았다. 우리들이 어린 시절 동무들과 어울려 놀이를 하던 그런 모습으로.

 그건 새로운 발견이었다. 하늘은 호수가 되고, 산은 호수에 잠긴 그림자가 되었다. 바로 보면 굴곡이 심한 산의 능선이 거꾸로 보니 훨씬 유장하게¹ 보였다.

 그리고 숲의 빛깔은 원색이 낱낱이 분해되어 멀고 가까움이 선명하게 드러나 얼마나 아름다운지 몰랐다. 나는 하도 신기해서 일어서서 바로 보다가 다시 거꾸로 보기를 되풀이했다.

 이러한 동작을 누가 지켜보고 있었다면 필시 미친 중으로 여겼을 것이다. 그러나 여기에서 나는 새로운 사실을 캐낼 수 있었다.

 우리가 일상적으로 사람을 대하거나 사물을 보고 인식하는 것은 틀에 박힌 고정 관념(固定觀念)에 지나지 않는다. 그렇기 때문에 이미 알아 버린 대상에서는 새로운 모습을 찾아내기 어렵다. 아무개하면, 자신의 인식 속에 들어와 이미 굳어 버린 그렇고 그런 존재로밖에 볼 수가 없는 것이다. 이건 얼마나 그릇된 오해인가. 사람이나 사물은 끝없이 형성되고 변모하는 것인데.

 그러나 보는 각도를 달리함으로써 그 사람이나 사물이 지닌 새로운 면을, 아름다운 비밀을 찾아낼 수가 있다. 우리들이 시들하게 생각하는 그저 그렇고 그런 사이라 할지라도 선입견에서 벗어나 맑고 따뜻한 '열린 눈'으로 바라본다면 시들한 관계의 뜰에 생기가 돌 것이다.

- 고등학교 문학

【라】 불교에서는 인간을 무명¹의 그늘에 가리어 탐내고 성내고 어리석은 탓에 잘못을 저지르며 고통 속에서 사는 존재로 파악하였다. 따라서 인간은 올바른 수행을 통해 자신의 참모습을 깨달아야 이상적 인간이 될 수 있다고 보았다.

특히 대승 불교에서는 이처럼 깨달음을 위해 정진하며, 중생에게 자비를 베푸는 이상적 인간상을 보살(菩薩)이라고 불렀다. 보살은 위로는 깨달음을 추구하면서 아래로는 중생을 구제하고자 자기의 모든 것을 베푸는 존재이다.

- 고등학교 윤리와 사상

¹. 무명(無明): 불교의 가르침을 알지 못하는 세속의 무지한 견해를 뜻한다. 무명은 삼독 (탐욕, 분노, 어리석음)과 함께 인간이 지닌 근본 번뇌 중 하나이며 윤회의 원인이기도 하다.

[문제 1] 【가】와 【나】의 차이점을 설명하고, 【가】와 【라】, 【나】와 【라】의 유사점을 각각 서술한 후, 【가】를 바탕으로 【다】의 작가의 관점을 설명하시오.

<320~400자> [30점]

※ 다음 제시문을 읽고 물음에 답하시오.

【가】 "바람직한 대지 이용을 오직 경제적 문제로만 생각하지 마라. 모든 물음을 경제적으로 무엇이 유리한가의 관점뿐만 아니라 윤리적·심미적으로 무엇이 도덕적으로 옳은지의 관점에서도 검토하라. 생명 공동체의 통합성과 안정성, 그리고 아름다움의 보전에 이바지한다면 그것은 옳다." -레오폴드

생태 중심주의는 자연의 가치가 인간의 필요와 유용성을 기준으로 측정되어서는 안 된다고 강조한다. 그들은 자연이 본래 가지고 있는 본성과 권리를 인간과 동등한 것으로 여긴다. 즉 인간과 자연은 일종의 평등한 윤리적 관계를 맺어야 한다는 것이다. 이렇듯 생태 중심주의는 '자연은 인간을 위한 수단적 대상이며 인간은 자연을 지배할 수 있다.'라는 관념에서 벗어나 자연 자체의 가치를 인정함으로써 인간과 자연의 조화를 추구한다. (……)

생태 중심주의자들의 주장을 요약하면 첫째, 인간이나 다른 생명체는 서로 독립적으로 존재하지 않고 상호 관련되어 있으며, 인간은 다른 생명체와 마찬가지로 지구 환경의 구성원일 뿐이다. 둘째, 인간은 전체 생태계의 일부분에 불과하며 전체 생태계와 조화를 이루어야 한다. 셋째, 전체 생태계는 다양하며 다양성은 생태계의 혼란이 아니라 복잡성을 나타내는 것이다. 넷째, 자연의 모든 생명은 각각 나름대로의 방법으로 자신에게 가장 바람직한 것을 추구한다.

- 고등학교 생활과 윤리

【나】 "과학의 목적은 자연을 인간의 척도에 맞도록 변형함으로써 인간의 활동 영역을 넓히는 것이다. 예를 들면 동물을 해부하고 실험하는 것은 인간의 육체에 담긴 비밀을 밝히는 도구로 활용하기 위해서이다." -베이컨

인간 중심주의는 도구적 자연관에 의거하고 있다. 즉 자연을 인간의 관점에서 재단함으로써 자연의 가치를 인간에게 편리한 도구로서 인정하는 것이다. 도구적 자연관을 받아들이고 있는 인간 중심주의자들은 인간의 가치를 중요시하고 인간 이외의 다른 모든 자연의 존재들을 인간의 목적을 위한 수단으로 활용할 수 있다고 주장한다. 인간 중심주의는 첫째, 인간이 모든 물질을 비롯한 다른 생물과 구별되는 유일한 존재라고 여긴다. 둘째, 오직 인간만이 자율적 존재이며 가치를 선택하고 도덕적 행위를 결정할 수 있는 윤리적 동물이라고 여긴다. (……)

인간 중심주의자들은 자연에 대한 인간의 의무와 책임을 설명하기 위해서 별도의 생태 윤리 이론을 도입하는 것을 반대한다. 즉 환경 문제에 대한 결정이 필요할 때 인간 존중, 인간의 기본석 권리, 징의, 자유 등 기존의 윤리 이론에서 논의된 사항만을 참조하여 충분히 결정할 수 있고, 그것을 근거로 하여 도덕적으로 수용가능한 해결책을 만들어 낼 수 있다고 본다. 이 관점에 의하면, 자연에 대한 우리의 도덕적 의무는 오직 인간의 권리를 존중하고 인류의 복지에 기여하는 한에서 부과된다.

- 고등학교 생활과 윤리

[문제 2] 제시문에 등장하는 두 대립하는 자연관을 다음 유의 사항에 따라 서술하시오.

<유의사항>
1. 【가】의 입장을 기반으로 【나】를, 또는 【나】의 입장을 기반으로 【가】를 조합해야 함.
2. 위 과정에서 자신의 입장 선택, 상대 입장의 부분적 수용, 그리고 그에 따른 자신의
입장의 부분적 변형을 반드시 반영하여 서술해야 함.

<320~400자> [30점]

※ 다음 제시문을 읽고 물음에 답하시오.

【가】 다음 경우를 생각해 보자. 어떤 노예 소유주가 철학적 소양을 지닌 노예와 인권에 관하여 토론하였다. 그들은, 토론의 결과, 인간은 자기 자신을 자유롭게 처분할 수 있고, 나아가 다른 사람들과 평등한 관계 속에서 자유로운 권리를 인정받을 수 있을 때만 비로소 참된 인간으로서, 인간답게 존재한다는 결론에 함께 도달하였다. 대화가 끝나자 주인은 흡족한 마음으로 노예를 다시 일터에 보냈다.
 이 가상적 논증에서 노예 소유주는 이론적 의미에서의 자유가 무엇인지를 확실히 이해하고 있다. 그러나 우리는 그가 자유의 본질적인 면을 오해하고 있다고 말하지 않을 수 없다.

  — 고등학교 생활과 윤리

【나】 철학을 이론 철학과 실천 철학으로 구분한다면, 윤리학은 실천 철학에 속한다. 실천 철학으로서의 윤리학은 인간 행위 중에서 도덕적 행위에 대하여, 즉 행위의 옳고 그름이나 좋고 나쁨에 대하여 묻는다. 윤리학은 윤리문제를 명료하게 파악하고, 가능한 해결책을 모색할 수 있으며, 또 그 해결책의 윤리적 결과를 숙고할 수 있는 '규범적 근거'를 제시할 수 있는 학문이라고 할 수 있다. (……) 도덕규범에 토대를 둔 행위에 대한 규범적 판단은 행위의 규범적 방향성을 제시함과 동시에 도덕적 행위를 이끄는 것이어야 한다. 즉, 도덕적 행위의 바탕이 되는 도덕적 지식은 단지 이론적인 지식으로만 머물러서는 안 되며, 반드시 도덕적 행위를 산출하는 실천적 지혜여야 한다.

  — 고등학교 생활과 윤리

【다】 공감은 인간의 본성에 있는 매우 강력한 원리이다. 공감은 우리로 하여금 다른 사람의 행복이나 불행에 함께 즐거워하거나 괴로워하게 만드는 작용을 한다. 그리고 도덕적 판단을 할 때 다른 원리의 도움 없이도 가장 강력한 승인의 감정을 낳기에 충분한 힘이 있으며, 이러한 작용은 정의, 충성, 순결 등 대부분의 덕에서 발견된다. 정의에 대한 우리의 승인도 그것이 공공선의 경향을 갖기 때문인데, 공감은 이러한 공공선에 대한 우리의 관심을 이끌어 낸다. 이처럼 자신의 선만이 아니라 낯선 사람의 행복이 존중되는 것도 오직 이 공감을 통해서 가능한 것이며, 또한 자신을 넘어 사회나 덕의 소유자에게서 도덕적 가치를 이끌어 내는 것도 공감을 통해서이다. 이렇게 공감은 도덕성의 가장 중요한 부분이다.

  — EBS 수능특강 생활과 윤리

【라】 나는 이제 너에게도 ㉠슬픔을 주겠다
    사랑보다 소중한 슬픔을 주겠다
    겨울밤 거리에서 귤 몇 개 놓고
    살아온 추위와 떨고 있는 할머니에게
    귤값을 깎으면서 기뻐하던 너를 위하여
    나는 슬픔의 평등한 얼굴을 보여 주겠다
    내가 어둠 속에서 너를 부를 때

단 한 번도 평등하게 웃어주질 않은

가마니에 덮인 동사자가 다시 얼어 죽을 때

가마니 한 장조차 덮어 주지 않은

무관심한 사랑을 위해

흘릴 줄 모르는 너의 눈물을 위해

나는 이제 너에게도 ⓒ기다림을 주겠다

이 세상에 내리던 함박눈을 멈추겠다

보리밭에 내리던 봄눈들을 데리고

추워 떠는 사람들의 슬픔에게 다녀와서

눈 그친 눈길을 너와 ⓒ함께 걷겠다

슬픔의 힘에 대한 이야기를 하며

기다림의 슬픔까지 걸어가겠다

- 고등학교 문학

[문제 3] 【가】의 '노예 소유주'의 행위를 【나】의 내용을 근거로 비판하고, 【다】의 '공감'의 '실천 윤리적 가치'와 관련시켜 【라】의 ㉠, ㉡, ㉢의 비유적 의미를 파악한 뒤 이 시의 내용을 설명하시오.

<580~700자> [40점]

# 14. 2020학년도 동국대 기출 논술 (인문계열 Ⅱ)

※ 다음 제시문을 읽고 물음에 답하시오.

【가】

백인의 무거운 짐을 져라.

너희가 낳은 가장 뛰어난 자식들을 보내라.

너희가 정복한 사람들의 요구에 봉사하기 위하여

너희의 자식에게 유랑의 설움을 맛보게 하라.

소란스러운 양 떼들

반은 악마와 같고, 반은 어린아이 같은

고집불통인 새 식민지에 와서 일하여

무거운 수레를 끌도록 하라.

-『고등학교 세계사』

【나】 네덜란드는 동남아시아 지역에서 무역 활동을 하던 포르투갈을 밀어내고 자와를 거점으로 동인도 회사를 설립하였다. 또한, 인도네시아를 기반으로 향료 무역을 독점하고 플랜테이션을 통해 원주민을 착취하였다.

네덜란드에 이어 아시아 침략을 주도한 나라는 영국과 프랑스였다. 영국은 동인도 회사를 앞세워 인도 무역을 주도하였는데, 플라시 전투에서 프랑스를 물리친 후 인도를 간접 지배하였다. 이어 영국은 세포이의 항쟁 이후 영국령 인도 제국을 성립하여 직접 지배하였으며, 미얀마를 인도 영토에 편입하였다. 또, 아편 전쟁에서 승리하여 중국을 개항시키고, 이후 프랑스와 함께 중국에 대한 확대 개방을 요구하며 내정 간섭을 강화하였다. 인도에서 영국에 밀려난 프랑스는 베트남에 군대를 파견하여 베트남을 보호국으로 만들었다. 이어 청과의 전쟁에서 승리한 후 베트남의 지배권을 장악하였다. 그 후 프랑스는 베트남과 캄보디아·라오스를 합쳐 프랑스령 인도차이나 연방을 수립하였다(1887).

-『고등학교 세계사』

【다】 아프리카 분할을 주도한 나라는 영국과 프랑스였다. 영국은 이집트의 혼란한 국내 사정을 이용하여 수에즈 운하를 매수하였다. 수에즈 운하는 유럽과 아시아의 지름길 역할을 하였기 때문에 영국은 이를 장악하고 이집트를 보호국화하였다. 또한, 영국은 케이프 식민지와 합병하여 남아프리카 연방을 조직하였다. 이후 영국은 아프리카의 북부와 남부를 잇는 종단 정책을 추진하였다.

한편, 프랑스는 서아프리카의 알제리를 거점으로 지속적으로 세력을 넓혀 튀니지까지 차지하였다. 드넓은 서아프리카 지역을 차지한 후 알제리와 동쪽의 마다가스카르 섬을 연결하려는 횡단 정책을 추진하여 영국의 종단 정책과 충돌하였다(파쇼다 사건, 1898). 그러나 이 사건은 프랑스의 양보로 해결되었다.

영국과 프랑스에 이어 독일, 이탈리아, 벨기에 등 신흥 자본주의 국가들도 아프리카 분할에 뛰어들었다. 그리하여 20세기 초에는 라이베리아와 에티오피아를 제외한 모든 아프리카 지역이 서구 열강의 식민지가 되었다.

-『고등학교 세계사』

【라】 한때 우리 사회에는 골프를 치는 것이나 포도주를 마시는 것이 꽤 '고상한' 것처럼 여겨지는 풍조가 있었다. 서양에서 들어온 여러 스포츠와 주류가 있지만, 유독 골프와 포도주를 동경하는 태도가 형성되었던 이유는 무엇일까? 서구의 문화를 경험한 상류층이 이와 같은 문화를 들여와 누리기 시작하면서 대중에게도 확산하였는 데, 사실 우리 사회에서 골프와 포도주 문화가 발달하지 않았던 배경이 존재힌다.

골프를 지기 위해서는 넓은 잔디밭이 필요하다. 그러나 우리나라는 산지가 많고 농경지도 부족한 편이었기 때문에 넓은 평원을 이용한 스포츠가 발달하지 않았다. 이것은 우리 사회에 적합하지 않아서 발달하지 않았을 뿐이지 우리가 '열등해서' 누리지 못한 것은 아니라는 의미이다.

포도주 역시 포도 주산지에서 자연스럽게 발달한 주류이다. 포도가 많이 생산되는 지역에서 다양한 포도가 재배되고 포도주 발효 시기나 생산 방법 등이 발달하는 것은 당연하다. 즉, 그들의 주류 제조 방식이 특별히 더 뛰어나기보다는 그들의 자연환경이 그러한 방법을 제공하였다고 보는 것이 더 적절하다.

-『고등학교 사회·문화』

【문제 1】 제시문 [나]와 [다]의 유럽 국가들이 취한 아시아 및 아프리카 정책의 배경이 되었던 사상을 [가]를 바탕으로 설명하고, 그 사상을 [라]의 입장에서 비판하시오.

<320~400자> [30점]

## ※ 다음 제시문을 읽고 물음에 답하시오.

【가】포드 기원 635년(서기 2540년), 지구가 세계국가에 의해 통치된다. 이 세계국가에서는 모든 이가 인간 부화 공장에서 태어난다. 정자와 난자를 인공 수정시킨 수정란은 배양 과정을 거쳐 최고 96명의 일란성 쌍둥이를 만들어 낸다. 이 인간 부화 공장에서 세계국가는 인구를 조절하고, 천재형, 미인형, 스포츠형 등으로 유전자를 배합하여 각 기능에 맞는 인간을 배양해 낸다. 멋진 신세계의 모든 인간은 늘 행복한 데, 이는 유전자와 정신의 조작으로 얻은 결과이다. 이들의 삶의 형태는 태어나기 전부터 인간 부화 공장에서 이미 결정된다. 장래에 광부와 철강공으로 결정된 태아는 열기에 익숙해지게 만들어 그들이 나중에 자신의 일을 사랑하도록 한다. 이런 준비는 개인을 행복하게 만들고 국가의 안정성을 보증하며, 누구도 자신의 운명을 거스르겠다는 생각을 하지 못하게 한다. 이와 같은 목적에서 다섯 종류의 상자가 마련된다. 가장 상위의 것은 알파의 상자로 최상의 지성을 갖추게 하여 지도층의 지위를 맡게 한다. 가장 하위에는 앱실론의 상자가 있는데 그들의 지성은 제거되어, 하수를 처리하는 일꾼으로 살아도 행복을 느낄 수 있도록 한다.

-『고등학교 사회』

【나】우리가 인간을 노예로 삼는 것을 비난하고, 학교 폭력을 문제 삼는 이유는 무엇일까? 이는 모두 인간 존엄성을 침해하는 행위이기 때문이다. 인간 존엄성이란 인간은 성별, 인종, 국적 등에 상관없이 인간이라는 이유만으로 존중받아야 하는 존엄한 존재라는 것을 의미한다. 그러므로 사람은 결코 어떤 특정한 목적이나 다른 사람을 위한 단순한 수단으로 취급되어서는 안 된다. 이리하여 칸트가 제시한 또 하나의 정언 명령은 "너 자신과 다른 모든 사람의 인격을 결코 단순히 수단으로만 대하지 말고, 언제나 동시에 목적으로 대하도록 행위하라."는 것이다.

-『고등학교 사회』
-『고등학교 윤리와 사상』

【다】유전공학이 질병 치료나 유전적 이상을 예방하는 목적으로 사용될 때와는 달리 신체나 정신능력을 유전적으로 향상하는 데 사용될 때는 많은 반대에 직면한다. 독일의 철학자 하버마스는 자율성을 이유로 유전적 조작을 통한 인간 능력 향상을 반대한다. 그런 향상은 나치의 권위주의적 우생학*처럼 국가가 주도하는 강제적인 정책이 아니라 부모의 자율적인 선택에 의한 자유주의적 우생학이기는 하다. 그러나 당사자의 동의 없이 유전자를 조작하거나 이에 개입하는 것은 아이의 자율성을 침해한다는 것이다. 그리고 유전 공학적 개입을 통해 출생한 아이의 경우에는 이전 세대의 의도가 반영되어 있기 때문에 세대 간에 평등한 관계가 형성되지 않는다는 것이다.

-『EBS 수능특강 독서』

【라】미국의 철학자 샌델은 유전 공학에 의한 인간 향상의 주요 문제는 행위 주체성이 과도한 데 있다고 주장한다. 그가 보기에 질병 치료나 유전적 이상을 예방하기 위해서가 아니라 신체나 정신 능력을 유전적으로 향상하기 위해 유전 공학을 사용하는 데에는 우리의 목적과 욕구를 충족하기 위해 자연과 본성을 정복하려는 열망이 깔려

있다. 그런데 그런 태도는 인간의 능력과 성취가 우리 각자에게 주어진 '선물'이라는 관점을 놓치고 있으며 심지어 그런 관점을 파괴할 수도 있다. 우리가 삶을 주어진 선물이라고 인정하는 것은 첫째, 우리의 재능이나 능력이 전적으로 우리의 소유가 아님을 인정하는 일이다. (……) 샌델에 따르면 자연이나 신, 행운이 나를 만들었다는 관점이 주는 축복은 나의 존재 자체에 대해 전적으로 책임을 지지 않아도 된다는 것인데, 향상 기술은 우리에게 그런 축복을 **빼앗아** 간다. 또 자신과 아이의 운명에 대한 책임이 증폭되면 자신보다 불운한 사람들과의 연대감이 줄어들 수 있다. 우리가 남보다 뛰어난 재능을 가지고 태어난 것은 우리에게 우연히 주어진 선물이고 우리는 거기에 대해서 감사한 마음을 갖는다. 그것은 단지 운이 좋아서 가진 것이지 우리가 노력해서 얻은 성취가 아니기 때문이다. 우리가 타고난 재능에 대해 찬사를 받을 수는 있지만 그것을 당연히 가질 자격이 있다고는 생각하지 않으므로 다른 사람들과 공유할 책임이 있다고 생각하며, 운이 좋지 않을 가능성도 있다고 생각하기에 보험과 같은 제도를 통해 연대를 한다. 그러나 자신의 재능과 성취를 유전공학적으로 완벽하게 통제하는 날이 오면 그동안 그것의 우연성에 대해 생각해 온 사람들에게서 연대 의식도 없어질 것이다.

-『EBS 수능특강 독서』

\* 우생학: 유전 법칙을 응용해서 인간 종족의 개선을 연구하는 학문.

**【문제 2】** 제시문 [가]에서 나타난 현상을 [나], [다], [라] 각각에 근거하여 비판하시오.

<320~400자> [30점]

※ 다음 제시문을 읽고 물음에 답하시오.

【가】 오늘날 의사 결정의 일반적인 방법으로서 다수결 방식을 많이 활용한다. 그러나 다수결 방식이 더욱 정당한 의사결정 방식이 되기 위해서는 구성원들이 다수결 결정 이전에 충분한 대화와 타협을 해야 한다. 그렇지 않으면 다수결은 소수의견을 무시하는 방식으로 전락할 수 있다. 예를 들어 1949년에 중국이 티베트를 침공하고 강제로 합병한 이후에도 대다수 티베트 사람들은 끊임없이 중국으로부터의 분리독립을 요구하고 있다. 만약 중국정부가 티베트 독립문제를 중국 국내 문제로 간주해 중국인들 전체가 참여하는 다수결 투표로 결정하자고 제안한다면 과연 티베트 사람들은 이에 동의할까? 아마 티베트 사람들은 이러한 제안을 소수인 티베트 사람들의 의견을 무시하려는 행위로 간주할 것이다.

다수결이 정당한 방식이 되기 위해서는 모든 구성원이 다수결 결정 방식 그 자체에 대해서 동의해야 한다. 우리가 선거에서 당선된 후보를 지지하지 않았더라도 그를 대표자로 인정하는 이유는 다수결 투표로 대표자를 선출하는 방식에 동의했기 때문이다.

-『고등학교 사회』

【나】 우거진 소나무 숲에서 퉁소 소리가 나는 것 같은 물소리, 이는 청아한 마음으로 들은 것이요, 산이 짜개지고 절벽이 무너지는 것 같은 물소리, 이는 분노하는 마음을 들은 것이다. 개구리 떼가 다투어 우는 것 같은 물소리, 이는 뽐내고 건방진 마음으로 들은 것이요, 번개가 번쩍하고 천둥이 치는 것 같은 물소리, 이는 놀란 마음으로 들은 것이다. (……) 모두 그 바른 소리를 듣지 못하는 까닭은 다만 자신의 마음 속에 어떤 소리라고 이미 설정해 놓고서 귀가 소리를 그렇게 듣기 때문이다.

-『고등학교 국어Ⅰ』

【다】

하선 : 사월아…….

사월 : 예, 전하.

하선 : 열다섯이라 했더냐?

사월 : 그러하옵니다, 전하.

하선 : 쯧쯧……. 어린 나이에 어쩌다 예까지 흘러왔누……. (……)

사월 : 소인의 아비는 산골 소작농이온데……. 어느 날부터 세금을 전복으로 바치라
하여…….

하선 : 농사꾼한테 전복이라니? (……) 그래서…….

사월 : 세전*을 메우려고 고리를 빌리다 보니 빚이 빚을 낳게 하고……. 결국 업자에게
집과 전답마저 빼앗기고 아비까지 옥살이를 하게 되었나이다.

하선 : 어허…… 저런.

사월 : 그걸로도 갈음**이 되지 않자, 업자는 관리와 결탁하여 어메는 변방 노비

로, 저

는 참판 집 몸종으로 팔려가고…….

-『고등학교 국어 I』

【라】

경기도 안산에서 서울 여의도까지

경적 소리에도 아랑곳없이

옆으로 앞으로 꾸벅꾸벅 존다

차창 밖으론 사계절이 흐르고

진달래 피고 밤꽃 흐드러져도 꼭

부처님처럼 졸고 있는 구자명씨,

그래 저 십 분은

간밤 아기에게 젖 물린 시간이고

또 저 십 분은

간밤 시어머니 약시중 든 시간이고

그래그래 저 십 분은

새벽녘 만취해서 돌아온 남편을 위하여 버린 시간일 거야

-『고등학교 문학』

* 세전: 조세. 국가 또는 지방 공공 단체가 필요한 경비로 사용하기 위하여 국민이나 주민으로부터 강제로 거두어들이는 금전.

** 갈음: 다른 것으로 바꾸어 대신함.

【문제 3】 제시문 [가]에서 지적하는 다수결 방식의 결함을 보완하기 위해서 필요한 노력 또는 태도를 [나], [다], [라]에서 각각 찾아 제시하고, 이에 대해 설명하시오.

<600～700자> [40점]

# 15. 2020학년도 동국대 모의 논술 (인문계열)

※ 다음 제시문을 읽고 물음에 답하시오.

【가】 인간과 고등 동물이 보이는 정신 능력의 차이는, 그것이 아무리 클지라도, 정도의 문제이지 결코 종류의 문제가 아니라는 사실은 명백하다. 높은 정신 능력은 다른 지적 능력이 크게 발달하면서 부수적으로 생긴 결과에 불과할 수도 있다. (찰스 다윈, <인간의 유래>)

-『고등학교 윤리와 사상』

【나】 인간은 바로 자기 눈앞에 있는 것을 등한시하고 동물이 아는 것, 생각하는 것 그리고 느끼는 것을 과소평가한다. 사람들에게도 좋아하는 것과 싫어하는 것이 있는데, 이는 바람직한 선택을 내리며 세상을 살아가게 한다는 점에서 유용하다. 마찬가지로 동물들도 똑같은 감정적 지침을 가지고 있는데, 그들은 감정 표현을 숨기거나 비밀로 하지 않는다. 동물들의 감정 세계는 매우 공개적이다. 그들은 자신에게 일어나는 일에 대해 느끼는 바를 있는 그대로 드러낸다. 그러나 과학자들은 우리가 동물이 생각하거나 느끼는 것을 알 길이 없다고 주장해왔다. 하지만 오늘날 이 주장은 더 이상 과학적 자료를 보수적으로 해석하려는 입장이라고만 보기 어렵다. 이는 현재 상태를 유지하고 인간이 우월하다는 생각을 유지하기 위한 구실일 뿐이다. (……)

 예를 들어, 포유류는 감정 처리에 중요한 뇌 구조가 인간과 동일하다. 흥미롭게도 동물원이나 서식지 침범으로 정신적 고통을 겪은 동물들을 치료할 때 사람에게 적용하는 많은 심리 치료 요법이 효과가 있다는 연구 결과가 나오고 있는데, 이는 인간과 동물 사이의 동일한 신경 구조 때문이다. 제임스 블라호스는 2008년 『뉴욕 타임스』에 게재한 글에서 학대, 공격성, 분리 불안, 우울증 그리고 강박 장애 같은 정신적 고통을 완화하기 위해 사람에게 처방하는 약물이 동물에게도 똑같이 사용되고 있음을 지적했다. "동물이 본질적으로 살과 피를 가졌지만 인간의 감정이나 기억, 의식가 같은 측면은 하나도 없는 마치 자동 장치 같은 존재라는 엄격히 기계론적인 데카르트적 관점이 사실이라면, 어떻게 해서 동물이 사람에게 발병하는 것과 섬뜩할 정도로 비슷한 정신 질환을 겪는 것이며 똑같은 약물에 반응하는 것"인지 의문을 제기하였다.

-『고등학교 독서와 문법』

【다】 내가 그것들을 더욱 자주, 더욱 진지하게 생각하면 할수록 항상 새롭고 더욱 높아지는 감탄과 경외로 나의 마음을 가득 채우는 것이 두 가지가 있다. 그것은 나의 위에 있는 별이 빛나는 하늘과 나의 인에 있는 도덕 법칙이다. …… 전자의 입장은 수많은 다양한 세계에서 드러나는 것으로서 동물적 피조물로서의 나 자신의 중요성을 완전히 없애 버린다. 즉, 나는 (우주의 한 점에 지나지 않는) 지구에서 생겨나서 아주 잠시 동안 생명을 부여받았다가 다시 지구로 돌아가야만 하며 또한 그 과정에 대해서는 전혀 알지 못하는 존재에 지나지 않는다. 반면에 후자의 입장은 지성을 소유한 나 자신의 가치를 나의 인격성을 통하여 무한히 높인다. 나의 인격성 안에 있는 도덕 법칙은 모든 동물과도, 심지어 감각계 전체와도 전혀 무관한 세계를 제시해 준다. (애링

턴 <서양윤리학사>)

-『고등학교 윤리와 사상』

[문제 1] [가]에는 "인간과 고등 동물이 보이는 정신 능력의 차이는 정도의 문제이지 종류의 문제가 아니다"라는 주장이 등장한다. [나]와 [다]에는 그 주장을 지지하거나 공박하는 논거가 나타나 있다. [나] 입장을 통해 위 주장을 옹호하면서 [다]를 비판하든가 또는 [다] 입장을 통해 위 주장을 반박하면서 [나]를 비판해 보시오.

<유의 사항>
- 전술한 두 노선 중 수험생이 지지하는 하나를 택하여 논변하시오.

<12 ~ 14줄 (360 ~ 420자)> [30점]

※ 다음 제시문을 읽고 물음에 답하시오.

【가】 정부가 중산층 육성에 골몰하는 이유는 견실한 중산층의 존재가 사회적 안정에 기초가 될 것이라는 믿음을 가지고 있기 때문이다. 중산층은 구매력을 가진 대표적 소비층으로서, 중산층의 안정된 생활은 소비를 촉진시키고 이를 통해 나라의 경제가 원활하게 작동하게 될 것이기 때문이다. 여기서 중산층이란 용어는 일상생활에서 널리 사용하는 말이다. 그러면서도 정작 중산층을 어떻게 정의할 것인가에 대해서는 의견이 나뉘어 있다. 일반적으로 다수의 경제학자는 소득을 중심으로 중산층을 분류한다. 예컨대 중위 소득의 50%~150%에 속하는 층을 중산층으로 규정지어, 50% 미만의 층을 빈곤층, 150% 이상의 층을 상류층으로 분류한다. 때로는 소득에 국한하지 않고 직업, 교육수준, 재산, 주택, 그리고 귀속 의식까지도 추가적으로 함께 고려하기도 한다.

-『고등학교 사회문화』

【나】 재화가 시장에서 효율적으로 공급되더라도 사회 구성원의 소득이 공정하게 분배되는 것은 아니다. 그런데 지나치게 소득 분배가 불평등하면 최소한의 인간다운 생활을 유지할 수 없을 뿐만 아니라 과도한 경제력 격차 때문에 사회가 불안정해질 수 있다. 따라서 정부는 소득 재분배를 위해 노력하게 된다. 정부는 지나친 빈부 격차가 나타나지 않도록 실업률을 낮추고, 물가를 안정시키는 경제정책을 추진한다. 또한, 빈부 격차를 해결하기 위해 소득이 높을수록 세율을 높게 적용하는 누진 소득세를 부과하고, 국민의 생존권 보장과 복지 증진을 위해 사회보장제도를 시행한다.

-『고등학교 경제』

【다】 통계청의 2011년 사회조사 결과에 따르면 '나는 중산층이다.'라고 생각하는 가구주는 52.8%였다. 이것은 1988년 관련 통계를 만들기 시작한 이후 가장 낮은 수치로, 2년 전에 비해 2.1% 포인트가 줄었다. 특히 65세 이상 고령층의 중산 비율은 35%에 불과했다. 반면 '나는 하층이다.'라고 응답한 비율은 2009년 42.4%에서 2011년에는 45.3%로 늘었다. 중산층과 하층의 비중 차이는 7.5%포인트에 불과했다. 1988년에 24% 포인트 차이였다.

-『고등학교 사회문화』

【라】 사회 계층은 상류층, 중류층, 하류층으로 구분하는데, 계층 구성원이 전체 인구에서 차지하는 비율에 따라 다음과 같은 계층구조가 나타난다. 우선 피라미드형 계층구조는 상류층의 비율이 가장 낮고 하류층의 비율이 가장 높으며 중간층이 그 중간 정도의 비율을 가지고 있는 형태이다. 다이아몬드형 계층구조는 상류층의 인구 비율과 하류층의 인구 비율이 상대적으로 낮고 중류층의 비율이 가장 높게 나타나는 형태이다. 모래시계형 계층구조는 중류층의 비율이 가장 낮고, 중류층보다는 높지만 상류층에 비하여 하류층의 비율이 상대적으로 높은 형태이다. 그리고 타원형 계층구조는 중산층의 비율에 비해 상류층과 하류층의 비율이 매우 낮고, 최상류층과 최하류층이 거의 없는 형태이다.

-『고등학교 사회문화』

[문제 2] 【가】~【다】를 참조하여 지난 2년간 우리나라 정부의 소득재분배 정책으로 중산층에 유의한 변화가 있었다고 판단할 수 있는지 기술하고, 【나】의 누진소득세 제도의 효과로 나타날 수 있는 계층구조를 【라】에서 찾아 설명하시오.

<12 ~ 14줄 (360 ~ 420자)> [30점]

※ 다음 제시문을 읽고 물음에 답하시오.

【가】 작품 수용은 작품 자체의 세세한 결을 치밀하게 따져 읽는 섬세한 읽기에서 출발한다. 그러나 섬세한 읽기만으로는 충분하지 않다. 섬세한 읽기를 통해 작품과 관련된 맥락을 발견하고 그 맥락에서 작품을 이해·감상 평가하는 것으로 나아가야 한다. 이때 고려해야 할 맥락은 사회·문화적 맥락, 문학사적 맥락, 상호 텍스트적 맥락 등이다.

　사회·문화적 맥락은 문학 작품에 반영된 사회·문화적 상황과 문학 작품이 이루는 관계를 말한다. 문학 작품에 반영된 사회·문화적 상황을 알면 등장인물의 삶과 의식을 보다 잘 이해할 수 있다. 그리고 작가의 창작 동기를 짐작하는 데에도 도움이 되는데 작가는 자신이 말하고자 하는 바를 작품에 담기 위해 특정의 사회·문화적 상황을 선택하여 작품에 반영하기 때문이다.

－ 고등학교 문학

【나】 경찰범 처벌 규칙 －조선 총독부, '관보'(1912.3.25.)
　제1조 다음의 각호에 해당하는 자는 구류 또는 과료에 처한다.
　2. 일정한 주소나 생업이 없이 이곳저곳 배회하는 자.
　20. 불온한 연설을 하거나 또는 불온문서, 도서, 시가를 게시, 반포, 낭독하거나 큰 소리로 읊는 자
　50. 돌 던지기 같은 위험한 놀이을 하거나 시키는 자, 또는 길거리에서 공기총류나 활을 갖고 놀거나 시키는 자

사이토 마코토, "조선민족운동에 대한 대책"(1920)
　1. 친일 인물을 골라 귀족, 양반, 유생, 부호, 교육가, 종교가에 침투하여 각종 친일 단체를 조직하게 한다.
　2. 각종 종교 단체도 중앙 집권화해서 그 최고 지도자에 친일파를 앉히고 고문을 붙여 어용화한다.
　3. 친일적인 민간 유지들에게 편의와 원조를 주고, 수재 교육의 이름 아래 많은 친일 지식인을 긴 안목으로 키운다.
　4. 조선인 부호, 자본가에 대해 일본과 조선의 자본가 간의 연계를 추진한다.

－ 고등학교 한국사

【다】 일찍이 윤 직원 영감은, 그의 소싯적 윤두꺼비 시절에, 자기 부친 말대가리 윤용규가 화적의 손에 무참히 맞아 죽은 시체 옆에 서서, 노적이 불타느라고 화광이 충천한 하늘을 우러러,
"이놈의 세상, 언제나 망하려느냐?""
"우리만 **빼**놓고 어서 망해라!"
하고 부르짖은 적이 있겠다요.
이미 반세기 전, 그리고 그것은 당시의 나한테 불리한 세상에 대한 격분된 저주요,

겸하여 웅장한 투쟁의 선언이었습니다. 해서 윤 직원 영감은 과연 승리를 했겠다요. 그런데……(중략)

윤 직원 영감은 시방 종학이가 사회주의를 한다는 그 한 가지 사실이 진실로 옛날의 드세던 부랑당패가 백 길 천 길로 침노하는 그것보다도 더 분하고, 물론 무서웠던 것입니다. (중략)

"……그런 쳐 죽일 놈이, 깎어 죽여두 아깝잖을 놈이! 그놈이 경찰서장 허라닝개루, 생판 사회주의 허다가 뎁다 경찰서에 잡혀? 으응……? 오-사육시헐 놈이, 그 놈이 그게 어디 당헌 것이라구 지가 사회주의를 히여? 부자 놈의 자식이 무엇이 대껴서 부랑당 패에 들어?"(중략)

"……오죽이나 좋은 세상이여? 오죽이나……."

윤직원 영감은 팔을 부르걷은 주먹으로 방바닥을 땅-치면서 성난 황소가 영각을 하듯 고함을 지릅니다.

"화적패가 있너냐아? 부랑당 같은 수령(守令)들이 있더냐? ……재산이 있대야 도적 놈의 것이요, 목숨은 파리 목숨 같던 말세년 다 지나가고 오…… 자 부아라, 거리거리 순사요, 골골마다 공명헌 정사(政事), 오죽이나 좋은 세상이여……. 남은 수십만명 동병(動兵)을 히여서, 우리 조선 놈 보호히어 주니, 오죽이나 고마운 세상이여? 으응……? 제 것 지니고 앉어서 편안허게 살 태평 세상, 이걸 태평천하라구 허는 것이여, 태평천하……! 그런디 이런 태평천하에 태어난 부자 놈의 자식이, 더군다나 왜 지가 떵떵거리구 편안허게 살 것이지, 어찌서 지가 세상 망쳐 놀 부랑당패에 참섭을 헌담 말이여, 으응?"(「태평천하」)

- 고등학교 문학

【라】 적개심이라든지 반항심이라는 것은, 보통 경우에 자동적, 이지적이라는 것보다는 피동적, 감정적으로 유발되는 것이다. 다시 말하면 일본 사람은, 소소한 언사와 행동으로 말미암아, 조선 사람의 억제할 수 없는 반감을 비등케한다. 그러나 그것은 결국 조선 사람으로 하여금 민족적 타락에서 스스로 구해야겠다는 자각을 주는 긴요한 동인이 될 뿐이다. (중략)

"실상은 쉬운 일이에요. 나두 이번에 가서 해 오면 세 번째나 되오마는, 내지의 각 회사와 연락해 가지고, 요보들을 붙들어 오는 것인데……. 즉 조선 쿠리(苦力) 말씀요. 노동자요. 그런데 그것은 대개 경상남북도나, 그렇지 않으면 함경, 강원, 그 다음에는 평안도에서 모집을 해야 하지만, 그 중에도 경상남도가 제일 쉽습니다. 하하하."

그자는 여기 와서 말을 끊고 교활한 듯 웃어 버렸다.

나는 여기까지 듣고 깜짝 놀랐다. 그 가련한 조선 노동자들이 속아서, 지상의 지옥 같은 일본 각지의 공장으로 몸이 팔려 가는 것이, 모두 이런 도적놈 같은 협잡 부랑배의 술중(術中)에 빠져서 그러는구나 하는 생각을 할 제, 나는 다시 한 번 그 자의 상판대기를 쳐다보지 않을 수 없었다. (「만세전」),

- 고등학교 문학

[문제 3] (가)와 (나)를 활용하여, (다)의 윤직원과 (라)의 화자 '나'가 보여주는 성격과 심리를 분석하고 두 인물이 지닌 세계관의 차이가 발생하는 이유를 설명하시오.

<20~22줄 (600~660자)> [40점]

# VI. 예시 답안

## 1. 2024학년도 동국대 수시 기출 (인문계열 Ⅰ)

[문제 1] 제시문 [나], [다], [라]의 관점을 활용하여 제시문 [가]의 시를 해석하시오.

> 모든 인간은 서로 다른 인종이나 문화 출신이라 하더라도 평등한 가치와 권리를 지닌 존재로서, 그 유용성과 관계없이 존재 자체로 존중받아야 한다. 개인은 타인이나 사회의 억압과 구속에서 벗어나 자신이 원하는 삶을 영위할 수 있는 권리와 이를 추구할 자유가 있다. 타인의 권리와 자유도 마찬가지로 존중되어야 하며, 국가를 포함하여 그 누구도 타인의 삶의 방식과 가치관을 구속해서는 안 된다. 상대가 나와 다르다고 하여, 특히 내가 우월하다는 생각에서 타인에게 호기심을 가지는 것 자체도 인간의 존엄성을 훼손하는 태도가 될 수 있다. 인간은 서로 의지하며 공존해야 하는 존재이며 어떠한 이유로든지 사회적으로 차별해서는 안 된다. 이러한 태도와 덕목을 기르기 위해 도덕적 수양에 힘쓰고, 사회적으로 실천할 필요가 있다. (공백포함 400자)

[문제 2] '예금자 보험 제도'에서 보험 가입자인 금융 기관의 도덕적 해이가 발생할 수 있는 이유를 제시문 [가]에서 찾아 설명하고, 금융기관의 도덕적 해이 사례를 [나]를 바탕으로 기술하시오. 그리고 이에 대한 구체적인 해결방안을 제시문 [다]와 [라]를 참조하여 제시하시오.

> 도덕적 해이는 정보를 더 많이 가진 사람이 사회적으로 바람직하지 못한 행위를 하는 경향을 말한다. 예금자 보험 제도에서 예금보험공사가 보험가입자인 금융기관의 행동을 완벽하게 관찰하지 못하므로 정보비대칭이 존재할 수 있으며, 정보를 더 많이 가진 금융기관들의 도덕적 해이가 발생할 수 있다. 이에 따라, 금융기관들이 예금자 보험 제도에만 의존하여 과도하게 예금을 수취하고 수취한 예금을 부실하게 운용하여 오히려 부실 가능성이 높아질 수 있다. 이와 같은 문제는 정보를 덜 가진 예금보험공사가 골라내기를 통해서 해결될 수 있다. 예금보험공사는 금융기관들에게 재무상태 자료를 요구 또는 조사하거나 무분별하게 예금을 늘려 부실하게 운용하는 금융기관들에게 보험료를 차등 적용함으로써 도덕적 해이 문제를 해결할 수 있다. (398자)

[문제 3] 제시문 [나]와 [다]를 읽고 소설 속의 인물들 사이에 '갈등'이 발생하는 이유를 제시하고, 이 두 소설에 나타난 '폭력'의 양상을 [가]의 주장을 통해 각각 설명하시오. 그리고 제시문 [라]를 읽고 그러한 폭력에 대한 '윤리적 책임'의 문제가 [나]와 [다]의 인물 간 '갈등'과 어떤 관련이 있는지 논술하시오.

> 제시문 [나]와 [다]는 어린 시절 독일에서 만난 베트남인 가족과의 일화를 통해 베트남전에 관한 불편한 기억이 만드는 갈등, 그리고 채식주의자인 아내와 세상 사람들 사이의 편견과 갈등을 각각 다룬 소설이다. 우선, [나]의 경우 갈등은 한국인 가족과 베트남인 가족 사이에서 베트남전이라는 역사적 사건의 불편한 기억 때문에 발생하거나, 그런 불편한 진실에 대한 양심과 태도의 차이 때문에 나와 엄마, 아빠 사이에서 생긴다. [다]에서는 폭력을 암시하는 끔찍한 꿈으로 인해 육식을 거부하는 아내의 다름을 '세상'이 '비정상'으로

규정하기 때문에 갈등이 발생한다. 제시문 [가]의 내용을 참조하면 이런 갈등으로 인해 드러나는 폭력은 그 동안 감추어져 있던 구조적 폭력이거나 문화적 폭력이다. 제시문 [라]에서 요나스는 윤리적 책임을 두 가지로 규정하는데, [나]와 [다]의 인물 간 갈등은 인간이 지속적으로 행위 되어야 할 것을 둘러싼 책임의 문제와 관련이 있다. 베트남전에 대한 기억의 문제나 채식주의자를 비정상으로 인식하는 편견은 모두 타자와의 소통을 방해하는 문화적, 구조적 폭력에 해당된다. 요나스의 책임의 윤리는 직접적이거나 물리적인 폭력이 아니어도 특정한 구조 속에 놓인 행위자(사람)가 미래에 잠재적으로 발생가능한 일에 대해 할 수 있는 윤리적 행위가 무엇인지를 묻는다는 점에서 이런 갈등에 대한 해법이 될 수 있다. (공백포함 684)

## 2. 2024학년도 동국대 수시 기출 (인문계열 Ⅱ)

[문제 1] 제시문 [가]를 통해 [나]에 나타난 문제의 해결이 필요한 이유를 설명하고, [다], [라], [마]에 근거하여 [나]에 나타난 문제의 해결 방안을 기술하시오.

> 지속 가능한 사회를 실현하기 위해서 지구의 평균 기온이 상승하는 지구 온난화 문제를 해결해야 한다. 지구 온난화 문제를 해결하기 위해서 1) 국제 사회는 국제법과 국제기구 등을 통해 협력을 제도화하고, 세계 각국이 협력할 수 있는 공조 체계를 구축하여야 한다. 국제법의 예로 파리 기후 변화 협약이 발효되면서 총회에 참석한 195개 국가는 2100년까지 5년마다 자발적으로 감축 목표를 설정하는 등 적극적 대응에 나서고 있다. 2) 현대에는 비정부기구(NGO), 지방 자치 단체, 시민 단체, 소수 인종, 국제적 영향력이 있는 개인 등도 지구 온난화 문제 해결에 중요한 역할을 하고 있다. 3) 손수건 사용하기 등 개개인의 작은 노력이 모이면 지구 온난화 문제를 완화할 수 있을 것이다. (공백포함 386자)

[문제 2] 제시문 [가]와 [나]에 나타난 유교의 윤리사상을 통해 [마]에서 언급한 공자와 맹자 주장의 근거를 설명하고, [다]와 [라]에 제시된 현대적 관점에 근거하여 [마]에서 언급한 공자와 맹자 주장을 비판하시오. <300~400자> [30점]

> 인은 사랑의 정신이자, 완성된 인격체의 인간다움이다. 효와 제는 인을 실천하는 핵심적인 가치이다. 이를 타인과 사회적 관계로 확장할 때 사회질서가 확립된다고 보기에 공자는 수신·제가·치국·평천하를 제시한다. 그러므로 효는 인격 완성의 근본이자, 이상적인 인간상인 군자와 대동사회에 이르는 근본이다. 따라서 공자와 맹자는 효를 어떠한 규범보다 우선시하고 있다. 현대사회에서는 사회 구조와 제도가 정의로워야 한다. 행복한 삶을 위해서도 개인의 도덕성과 함께 공정한 제도가 담보되어야 한다. 모든 구성원들에게 공정한 원칙이 적용되고, 행위에 따르는 응분의 몫을 받을 때, 법 앞의 평등이 실현된다. 부모 잘못을 비호하는 행위가 효 윤리에 부합될 수 있지만, 타인에게 피해를 주는 행위이기에 정의를 벗어난 행위임은 명백하다.(398자)

[문제 3] 제시문 [가]와 [나]의 관점의 차이를 설명한 후, [다]의 주장을 [가]의 관점으로, [라]의 주장을 [나]의 관점으로 설명하시오. 그리고 제시문 [가]와 [나]를 토대로 [마]와 [바]의 상이한 정의관(觀)을 추론하고 그 이유를 함께 기술하시오.

제시문 [가]는 외부의 간섭을 받지 않는 개인의 자유와 자율적인 도덕적인 판단을 강조하고 있는 반면, 제시문 [나]는 개인이 반드시 자신이 속해 있는 공동체와 얽혀 있음(연고적 자아)을 강조하고 있다. 제시문 [가]의 자유주의 관점에서 보았을 때, 제시문 [다]에서는 개인의 소유권은 타인에게 피해를 주지 않는다면 신성불가침으로 존중되어야만 하며 아울러 그 소유물의 활용은 개인의 자유로운 결정에 달려 있음을 주장하고 있다. 한편 제시문 [나]의 공동체주의 관점에서 보았을 때, 제시문 [라]에서는 분배의 문제란 철저히 공동체의 사회적 가치에 속하는 것으로서 사회적 분배는 각 공동체의 고유한 문화적 특수성과 상황에 의존해 있다고 주장하고 있다. 이러한 자유주의와 공동체주의의 관점은 각각 정의의 문제를 다르게 바라보는데, 제시문 [마]의 역사적 사건은 자유주의적 정의관을 보여준다. 독일에 패전한 프랑스가 그 희생양으로 유대인 장교 드레퓌스를 반역죄로 유죄 선고하는 것에 대해 저자는 인류의 보편적 진리의 이념으로 드레퓌스의 무죄를 선언하고 있다. 이와 달리 제시문 [바]는 공동체주의적 정의관을 보여주고 있다. 백년전쟁에서 영국에 패배하자 프랑스의 칼레 시와 시민 전체가 위험에 처하자 높은 지위에 있는 6명이 전체 시민을 대표하여 대신 처형을 받음으로써 전체 시민의 생명을 구하였다. (총 665자)

# 3. 2024학년도 동국대 모의논술

[문제 1] 제시문 【다】에서 언급한 사회화를 바라보는 세 가지 관점의 핵심적 차이점에 대해 설명하시오. 그리고 제시문【가】와【나】의 내용을 토대로 제시문【라】에서 주요하게 나타난 사회화의 유형은 무엇인지 정리해보고, 기능적 관점에서 바라본 사회화를 바탕으로 뉴미디어 확산에 따른 노인들의 사회화가 왜 중요한지 설명하시오.

기능론은 사회화가 사회 통합에 이바지하는 역할을 한다. 갈등론은 지배집단의 이해관계를 공고히 하기 위한 목적을 지닌다. 상징적 상호작용론은 일상생활에서의 상호작용을 통해 개인이 자아 정체성을 형성해 가는 과정이 핵심이다.
디지털 뉴미디어와 정보 사회에 적응하기 위한 노인들의 스마트폰 교육은 재사회화이다. 사회화가 제대로 이루어지지 않은 노인이 늘어나면 사회는 혼란에 빠질 가능성이 커지고 사회 통합도 어려워진다. 노인은 사회적 존재로서 생존하는 데 필요한 기술과 지식을 학습하는 재사회화의 과정을 통해 다시 사회의 안정에 이바지하는 구성원이 될 수 있다. 아울러 사회화를 통해 사회의 질서 유지와 기능통합에 이바지 한다. (공백포함 351자)

[문제 2] ① 【가】의 제목 '스노우맨'과 소설에서 '눈'과 인물들의 상황이 암시하는 의미를 서술하시오.
② 【가】와 【나】의 시에 나타난 공통점을 찾아 그 공통점이 【다】의 내용과 지닌 상관성을 서술하시오.
③ 【가】, 【나】에 나타난 문제에 대해 【라】와 같은 해결책이 필요한 이유를 쓰시오.

제목 '스노우맨'은 치열한 경쟁 상황에 몰린 직장인을 암시한다. 이 소설에서 '눈', '폭설'은 자연재해가 아니라 '재해나 재앙'의 수준에 이른 노동환경을 의미하며, 주인공과 유대리는 이런 상황 속에 갇힌 희생자다. (가), (나)의 공통점은 남자, 유대리, (나) 시의 화자, 외국인 노동자 등이 모두 노동자로서의 기본 권리인 (다)의 근로 시간, 근로 조건 등을 침해 받고 있는 점이다. (가), (나)처럼 노동 착취가 구성원의 기본권을 침해하거나 소수자를 차별하는 법이나 정책에 의해서 행해질 경우, 그런 차별을 용인하는 사회 구조와 법을 시정하기 위해서는 (라)의 경우처럼 비폭력적, 양심적 저항인 시민불복종과 같은 '법에 반하는 정치 행위'가 필요하다. (공백포함 371자)

[문제 3] 제시문 【다】와 【라】에 제시된 두 관점에서 【나】에 나타난 소유권 주장에 대해 평가하시오. 그리고 【가】의 논의를 바탕으로 모든 구성원이 행복한 사회를 실현하기 위해서 【다】와 【라】에 나타난 두 관점 간의 관계가 어떠해야 하는지 설명하시오.

개인선의 실현을 강조하는 자유주의적 정의관에서는 개인이 스스로 노력하여 취득한 사유재산권에 대한 개인의 권리를 부당하게 침해할 수 있으므로 정의롭지 않다고 평가할 수 있다. 반면 공동선의 실현을 강조하는 공동체주의적 정의관에서는 개인의 사유재산권은 공공복리 차원에서 제한될 수 있다고 보며 공동체 구성원의 공동선을 증진시킬 수 있다면 사유재산권의 제한은 공동체 구성원의 의무로서 정의롭다고 평가할 수 있다.

개인과 공동체는 때로 대립하는 관계에 놓이기도 한다. 이때 개인과 공동체 중 어느 한쪽만을 지나치게 중시하면 문제가 생길 수 있다. 자유주의적 관점이 아무런 제한 없이 오직 개인의 이익만을 추구하는 극단적인 이기주의로 변질할 경우, 타인의 자유와 권리를 침해하고 공동체를 위태롭게 할 수 있다. 반대로 공동체주의적 관점이 개인의 권리를 경시하고 집단의 이익만을 중시하는 집단주의로 변질하면, 공동체의 질서를 유지한다는 이유로 개인의 자유와 권리를 훼손하여 개인선의 실현이 어려워질 수 있다. 따라서 개인과 공동체 중 어느 한쪽만을 지나치게 중시해서는 안 되며, 양자를 상호 보완적인 관계로 바라보고 둘의 조화를 지향해야 한다. 즉, 공동체는 개인의 자유와 권리를 최대한 보장하고, 개인은 공동체에 대한 의무를 적극적으로 수행할 필요가 있다. 이를 통해 개인선과 공동선의 조화가 적절히 이뤄질 때 모든 구성원이 행복한 정의로운 사회가 될 것이다. (699자)

# 4. 2023학년도 동국대 수시 기출 (인문계열 Ⅰ)

[문제1] 제시문 【라】에 나타난 줄임말이나 신조어 사용 현상을 하나의 '문화'라고 볼 수 있는 근거를 【가】와 【나】를 참조하여 네 가지 이상 제시하시오. 그리고 줄임말이나 신조어가 의사소통에서 '어떤 부정적 영향을 초래할 수 있으며 이를 어떻게 해결할 수 있는지'를 【가】와 【다】의 내용을 토대로 추론하여 서술하시오.

줄임말과 신조어는 그 자체로 문화적 산물이자 한 문화를 반영하는 기호체계다. 한 개인에게만 나타나지 않으며 사회 구성원이 공동으로 가진다. 그 사회의 (언어) 문화를 학습한다. 시간이 흐르면서 그 모습이나 내용, 의미 등이 변화한다. 기존의 문화에 새로운 요소가 더해져 풍부해진다. 문화의 요소는 별도로 기능하지 않고 서로 유기적 연관성을 지닌다.

뜻을 파악하기 어렵거나 규범에 맞지 않는 언어, 비윤리적 언어 사용은 사회 구성원 사이에 의사소통의 단절을 초래하고 인간관계 및 사회관계에서 혼란을 가중시킨다. 매체를 통한 언어생활에서 상대방을 존중하고 배려하는 언어를 사용하고, 무례한 표현이나 비속어 등의 사용을 삼가야 한다. 과도한 맞춤법 파괴, 무분별한 신조어의 사용 등도 지양해야 한다. (총 386자)

[문제2] 제시문 【마】에서 설명한 기업의 사회적 책임이 필요한 이유에 대해 【가】, 【나】의 내용과 【다】, 【라】의 사례를 활용하여 기술하시오.

기업은 사회적 책임을 가질 필요가 있다. 그 이유는 1) 현대 사회에서 생산 활동의 주체로서 사회적 영향력이 매우 크기 때문이다. 2) 기업가가 혁신의 주체로서 첨단 과학 기술 활용시 도덕적 숙고를 하지 않으면 윤리 문제가 발생할 수 있기 때문이다. 예를 들어 인공지능 기술의 발전은 기술의 인간 지배라는 부작용이 따를 수 있다. 유전자 재조합 농산물은 인체에 대한 유해성과 생물 종의 다양성을 훼손 우려가 있다. 이와 같은 첨단 기술을 활용하여 이윤을 창출할 경우 그 부작용에 대해서도 책임을 가져야 한다. 3) 기업 성장에 필요한 요소를 사회에서 구하여 경영하기 때문이다. 기업이 사회에 대한 책임을 갖고 적극적으로 기여할 때 기업의 성장과 더불어 사회의 지속 가능한 발전이 가능할 것이다.

[문제 3] 제시문 【가】에서 '위대한 인간 선언'이 의미하는 것과 그것이 위대한 이유를 설명하고, 【나】를 바탕으로 【다】에 나타난 국가(스웨덴)의 정당성에 대해 서술하시오. 그리고 앞에서 답한 내용과 【라】를 활용하여, 【마】의 문제를 해결하기 위해 '개인과 국가'가 기울여야 할 노력과 그 이유를 서술하시오.

'위대한 인간선언'은 장 발장이 자신을 '레 미제라블'(불쌍한 사람)이라고 한 것을 가리킨다. 다른 사람들의 비참에는 전혀 관심이 없는 위선적인 중산층 시민들과 달리, 자신의 불행한 처지를 감수하면서 각자의 진리와 정의, 양심을 포기하지 않는 사람들은 '불쌍한 사람들'이지만 역으로 '위대한 인간'이다.
스웨덴은 다함께 성장하는 경제를 이루기 위해 총리가 기업, 노조 대표를 비롯해 전 국민을 설득해, 세금을 많이 내지만 육아, 의료, 교육, 주거 등 국민의 기본권이 보장되고, 경제적 불평등이 해소되어 인간다운 삶을 살 수 있는 세계에서 가장 잘 사는 나라를 만들었다. 국가의 노력을 통해 자유 민주주의를 바탕으로 한 복지 국가를 이루어 냄으로써 국가의 정당성을 인정받은 것이다.
 (마)의 세계화로 인한 사회복지, 민주주의, 생태계 측면의 20대 80의 불평등한 사회는 지속 가능한 사회가 아니라는 점에서 문제성을 지닌다. 이 문제를 해결하기 위해 개인은 세계시민의 일원으로서 장기적 안목의 대응을, 국가는 자국의 이익을 앞세우기 전에 세계를 하나의 공동체로 인식하고 국제적 공조에 참여함으로써, 지속 가능한 사회를 만드는 데 노력을 기울여야 한다. 이 과정에서 세계시민으로서의 개인에게는 (가)의 위대한 '인간의 덕목'이, 국가에게는 민주 주의를 통한 복지국가라는 정당성이 요구된다. (공백포함 666자)

# 5. 2023학년도 동국대 수시 기출 (인문계열 Ⅱ)

[문제1] 제시문 【가】를 근거로 【나】의 사례에서 나타나는 긍정적 기능을 서술하고, 【라】를 참고하여 【다】의 사례를 설명하시오.

일탈 행동은 사회 규범에 어긋나는 행동으로 신분제도가 엄격한 시대에 신분 질서를 파괴하는 행동은 일탈 행동이 되었다. 하지만, [나]의 사례에서 제시된 카니발이 벌어지는 동안에는 신분 질서 파괴를 비롯하여 모든 것을 제도적으로 허용함으로써 일탈 행동이 되지 않았으며, 이를 통하여 사회적 억압에서 벗어나 축적된 욕구 불만을 해소할 수 있게 하여 사회적 억압이 정치적으로 폭발하지 않도록 방지하는 긍정적인 기능을 하였다. 그리고 [다]의 사례에 제시된 내용은 [라]의 차별 교제 이론으로 설명할 수 있다. 사회적으로 인정되지 않는 일탈 행동도 다른 행동과 마찬가지로 타인과의 상호작용으로 학습된다는 것이다. 즉 "검은 것을 가까이 하면 검어지고, 붉은 것을 가까이 하면 붉어진다."는 말은 이를 표현한 것이다. (395자)

[문제 2] 제시문 【가】를 바탕으로 공공재 무임승차 문제의 원인을 기술하시오. 그리고 이와 관련하여 【나】의 실험 결과를 요약하고, 【다】와 【라】를 바탕으로 이러한 실험 결과가 나온 이유를 설명하시오.

공공재 무임승차는 공공재의 속성으로서 비배제성과 비경합성, 즉 대가를 지불하지 않더라도 소비에서 배제되지 않고, 자신의 소비가 다른 사람의 소비를 방해하지 않기 때문에 발생한다. 공공재 무임승차에 관한 일반론적 예측과 달리 [나]의 실험에서는 사람들이 무임승차를 할 수 있는 상황임을 알면서도 무임승차를 하려는 경향이 약하며 공공재 생산 비용에 자발적으로 기여하였다. 이러한 경향은 먼저 생명체 진화론적인 측면에서 사람들이 한정된 자원을 놓고 서로 경쟁하기보다는 상부상조하며 공존하려하기 때문이다. 또한 이는 우리가 사회적 존재로서 공동체주의와 공동선을 지향하고 있음을 반영한다. 즉, 공동체 속의 개인은 배려와 사랑 등의 공동체적 가치를 실천하고 공동체가 공유하는 좋은 삶의 모습을 추구한다. (392자)

[문제 3] 제시문 [나]와 [다]에서 나타난 개념들을 바탕으로 [가]에서 주장하는 바의 한계점을 설명하시오. 이러한 한계점을 토대로 [라]의 사례가 해결되지 않은 이유를 설명하고, [마]와 [바] 각각의 입장에서 [라]의 문제를 해결하는 방안을 제시하시오.

[가]에서 하버마스는 합리적인 의사소통 과정에서 '이성의 공적 사용'이 전제되어야 한다고 주장하지만, [나]에서 흄은 이성이 행위의 동기를 제공하기보다는 바람직한 행위의 방향을 제시할 뿐이며, 오히려 사회적 감정들이 도덕적인 행위를 하게 만든다고 주장한다. 또한 [가]에서 주장하는 합리적인 의사소통에 대해서 [다]의 제시문은 개인의 합리적 선택으로 인해 때로 개인 간 이익이 충돌하거나 공익을 해치는 경우가 있다고 지적한다. [나]와 [다]에서 찾은 한계점들을 토대로 [라]의 사례가 해결되지 않은 이유를 설명하면, '이성의 공적 사용'이 전제되더라도 이성보다 감정이 도덕적 행위를 하도록 만든다는 흄의 주장에 따라 국민연금의 지출 부담에 대해 젊은 세대가 느끼는 부인(否認)의 감정으로 인해 사회적 합의에 도달하기 힘들다. 그리고 각 세대의 '합리적 선택'이 각자 자신의 세대에게 가장 이익이 되는 쪽으로 이루어짐으로써 사회 전체의 이익인 '세대 간 정의'를 확립하지 못한다. 이 문제를 해결하기 위해서, [마]의 입장에서 시민은 민원 제기, 청원 운동 등 합법적인 방법을 통해서 정부가 부인의 사회적 감정들을 고려하면서 동시에 공공성을 추구하는 지혜로운 방안을 찾도록 요구해야 한다. [바]의 입장에서는 소수의 현명한 시민이 공론장

을 넘어서 불복종함으로써 다수의 시민보다는 정부가 더 적극적으로 부당한 법과 정책의 개선에 나서도록 만들어야 한다. (700 자)

# 6. 2023학년도 동국대 모의 논술 (인문계열)

[문제1] 【가】의 내용을 토대로 【나】와 【다】의 사례를 자유무역 또는 보호무역의 개념으로 적용하여 설명하고 【라】의 내용으로 보호무역주의를 비판하시오.

(나)는 영국의 유럽연합탈퇴로 지역경제공동체의 일부 해체를 보여주며, (다)는 최근까지 이어오는 지역경제공동체를 통한 경제협력을 보여준다. 지역경제공동체는 공동체 내에서의 자유무역을 통해 구성원간의 경제협력을 꾀하고 공동체 밖의 구성원들과는 보호무역으로 공동체내의 구성원을 보호하고자 한다. (라)는 많은 국가들이 자유무역을 표방하지만 실제로는 자국의 이익을 위한 보호무역의 정책을 펼치고 있음을 나타낸다. 최근에는 일부 강대국들에 의한 (신)보호무역주의라고 할 수 있는 녹색 보호 무역주의로 환경적인 기술수준(탄소배출감소노력 등)을 보호무역의 수단으로 사용하며 이는 환경적인 기술수준이 덜 발달한 국가들의 발전을 가로막는 것으로 여겨진다.

[문제 2] 제시문 【가】와 【나】는 대중의 정치 참여와 그 문제점에 대해 설명하고 있다. 제시문 【가】와 【나】에서 나타난 문제점을 바탕으로 제시문 【다】와 【라】의 주장을 비판하시오.

[가]는 대중의 충동적인 선택에 대해 지적하고 정치 참여는 합리적인 사고를 가진 엘리트에게 맡기는 것이 적절하다고 주장한다. [나]는 대중의 정치 참여에서 공리주의적 관점의 합리적 선택이 갖는 근본적인 한계를 지적하고, 이로 인해 공익과 사회적 규범을 해치는 문제가 발생한다고 주장한다. [가]와 [나]의 입장을 고려하면, 공적 이성을 통한 합리적 의사소통이 결여 되면 심의 결과에 문제가 생길 수 있다. 충동적인 의사 결정을 하는 대중은 사적인 이익을 앞세운다. 또한 합리적 토론이 주어지더라도 공리주의적 입장의 한계를 극복할 수 없다. 개인의 효용이 사회 전체 효용 즉 공익과 부딪힐 수 있다는 문제가 여전히 남는다. 따라서 서로 다른 이해관계를 가진 사람들이 공공성을 추구하는 정책을 만들기 어려울 수도 있다. (399자)

[문제 3] 제시문 【가】, 【나】를 바탕으로 제시문 【라】, 【마】에 대한 도덕적 판단을 하고, 【라】사건의 윤리적 문제점을 제시문 【나】의 관점에서, 그리고 제시문 【마】에서 아내가 남편에게 보이는 태도의 이유를 제시문 【다】의 관점에서 각각 설명하시오.

(라) 사건은 "인간의 생명은 소중하다"는 도덕원리, "지금 아이의 생명이 위태롭고 도움이 필요하다"는 사실판단, "타인의 생명이 위기에 처하면 도와주어야 하므로 아이의 생명을 구하기 위해 어떤 노력과 조치를 취해야 한다"는 도덕적 판단이 가능하므로, '사람들이 아무도 아이들을 도와주지 않았다"는 사실 판단은 사람들의 무관심은 결국 도덕적이지 않다는 '판단으로 연결된다. (마)의 경우는 남편이 원주민에게 과도하게 싼 가격으로 물건을 샀는데, 이것은 책임과 배려라는 윤리 항목을 생각해 보면, 거래의 윤리성에 어긋난다. 남편이 가난한 원주민에게 싼 가격으로 물건을 산 것은 "타인의 손해와 손실에 대한 배려'라는 윤리적 측면에 어긋나기 때문이다. (나)를 전제로 하면, (라)의 사건은 사람들의 무관

심이 생명 존중의 책임윤리, 타인에 대한 동정, 도움, 배려 등의 윤리성을 모두 어기고 있는 사건이다. (바)의 경우, 아내가 남편을 비판하는 이유는 합리적 소비에 의한 윤리성이 남편의 행위에 결여되어 있었기 때문이다. 자신의 이익만을 생각하기 때문에 타자에 대한 배려가 바탕이 된 윤리적 소비가 이루어지지 않음으로써, 소비의 과정에서의 도덕적 가치 실현은 일어날 수 없게 된다. 원주민의 처지에 대한 공감이나 배려 등이 빠진 상태에서 이루어진 거래에 대해 문제점을 느끼지 못하는 남편의 백인 중심적 사유에 대해 주로 비판적 시선이 가해진다. (공백포함 694자)

# 7. 2022학년도 동국대 수시 기출 (인문계열 Ⅰ)

[문제 1] 제시문 【나】, 【다】를 통해서 【가】에 나타난 문제가 해결되지 않는 원인을 설명하고, 제시문 【나】, 【다】, 【라】를 통해 가능한 해결방안을 기술하시오.

(가)는 세계적으로 일어나고 있는 자원 부족과 식량 부족의 문제를 보여준다. (나)는 세계 각국이 기후 문제를 해결하기 위해 협조를 시도하였으나 일부 국가의 자국 이기주의로 협조체제가 흔들리는 것을 보여주고, (다) 국제 관계를 바라보는 관점인 현실주의와 자유주의를 보여준다. (나)와 (다)에 따르면, (가)의 문제를 해결하기 위해 국가 간 긴밀한 협조가 필요하지만 각국이 자국의 이익만을 추구하며 문제해결이 쉽지 않음을 보여준다. (가)의 문제는 전 세계에 영향을 미치는 전 지구적 수준의 문제이며 이러한 문제를 해결하기 위해서는 세계가 공동의 노력으로 더불어 살아가며 지속 가능한 사회를 만들어 가겠다는 인식의 전환과 국제기구 등의 협조체제를 통해 국제법이나 국제규범의 역할이 필요하다.

[문제 2] 제시문 【가】, 【나】에서 나타난 개념들을 활용하여 【다】, 【라】의 외부 효과를 설명하시오. 그리고 제시문 【마】의 사례를 바탕으로 【다】에서 발생하는 외부 효과에 대해 정부가 개입하는 경우 나타날 수 있는 문제점과 그 해결 방안을 제시하시오.

[다]에 따르면, 사실이 아닌 정보를 언론이 확대 재생산하는 경우로, 정보를 판매하는 언론사와 구매자인 구독자 간 거래 밖 다른 사람들에서 손해를 끼친다. 사실이 아닌 정보의 만연은 기사를 소비하는 구독자를 넘어 사회 전반에 언론의 불신을 야기한다. 부정적 외부 효과인 외부 불경제가 발생한다. [라]의 경우, 백신 접종은 피접종자 이외 다른 사람들에게 감염률을 낮추는 경우로, 이 역시 긍정적 외부 효과가 발생한다. [다]의 경우, 정부가 사실확인 의무를 언론사나 포털에 부여하는 등 시장에 개입하는 것은 거짓 정보의 유통을 충분히 막지 못하면서 오히려 사실 정보의 생산을 위축시키는 결과를 가져올 수 있다. 따라서 [마]의 경우처럼, 언론사의 자발적인 노력과 시민들의 적극적인 감시를 통해 해결할 수도 있다. (398자)

[문제 3] 제시문 【가】를 바탕으로 【라】에서 '나'를 비롯한 인물들의 행동이 보여준 도덕적 요소를 설명하시오. 그리고 제시문 【나】, 【다】의 도덕적 판단 혹은 실천의 공통점을 말한 뒤 그것이 가능한 이유와 근거를 【라】의 도덕적 요소와 관련해서 설명하시오.

제시문 【가】에 의하면 도덕적 갈등은 일반적으로 사람들이 지향하는 도덕원리의 차이, 사실판단의 정확성 여부, 당면한 윤리 문제에 대한 도덕 판단의 차이 등에 의해서 발생한다. 이런 도덕적 갈등의 해결을 위해서는 비판적 사고뿐만 아니라 도덕적 상상력과 배려적 사고도 필요하다. 제시문 【라】에서 '나'는 가난한 시골 여성으로 서울에서 온 남자로부터 버림받고 마음의 상처를 얻었지만 외국인 노동자인 두 남자의 대화를 듣고 또 노래를 몰래 따라 부르면서 그들이 처한 상황에 대해 깊이 공감하며 마음의 위로를 받는다. 깐쭈는 자신이 돈을 받지 못했지만 오히려 사장의 처지를 이해하려고 하고 사장의 슬픔에 공감한다. 싸부딘은 형, 여동생, 조카에 대한 연민을 통해 도덕적 책임감을 느낀다. 이 세 인물은 이 점에서 모두 타자에 대한 도덕적 상상력과 배려의 마음이라는 도덕적 능력을 지닌 인물들이다. 제시문 【나】, 【다】는 모두 테러리즘에 대한 비폭력 저항의 가능성과 가치를 보여주는 글이다. 꽃이 총을 이긴다는 생각이나 테러로 아내를 잃었음에도 증오로 대응하지 않겠다는 선언은 폭력이 정당화될 수 없다는 도덕적 판단에 의한 것이다. 그리고 이러한 판단의 정당성은 비판의식 뿐만 아니라 도덕적 상상력, 그리고 타자에 대한 공감 능력을 바탕으로 한 높은 도덕적 우월성에 의해서 가능한 것이다.(공백 포함 661자)

# 8. 2022학년도 동국대 수시 기출 (인문계열 Ⅱ)

[문제1] 제시문 [가]를 바탕으로 제시문 [나], [다], [라]의 문제점을 기술하시오.

[나]는 미세먼지가 호흡기 건강보다 피부 건강에 더 악영향을 준다는 상업적 광고로 신문기사에 신뢰를 갖고 있는 독자들의 성향을 이용해서 상품구매를 유도하려는 의도가 있다. 독자들에게 혼동을 주는 과장된 정보다. [다]의 '신체장애를 극복한 천형같은 삶'의 기사제목은 독자를 끌어 들이기 위한 자극적 제목으로 인터뷰 대상자의 의도와 크게 다르다. 제목만 본 독자는 인터뷰 내용을 잘못 파악할 수 있다. 대상자는 기자의 의도와 상관이 없이 기만당했다는 불쾌감을 가질 수도 있다. 장애인 차별의식도 문제다. [라]의 중화주의 세계관 혹은 종교의 영향을 받아 제대로의 실측 반영이 안 된 지도의 과장된 정보는 그 당시의 세계관을 알려주기도 하지만, 지도정보에 대한 약한 신뢰와 지도의 저조한 이용을 가져온다.

[문제 2] 제시문 [가], [나], [다]에서 인간과 기술의 관계에 대한 공통된 세계관을 찾고, 이 세계관에 대한 각 제시문의 세부적 차이점을 설명하시오. 그리고 이러한 공통된 세계관을 제시문 [라], [마] 각각의 입장에서 비판하시오.

[가], [나], [다]는 인간과 기술의 관계를 이분법적 세계관, 도구적 자연관으로 설명한다. 인간이 기술을 도구화하든지, 이 과정에서 기술이 인간을 지배하든지 한다는 지배/통제의 관점이다. 특히 [다]는 기술이 인간에게 유익하며 인간이 기술을 통제할 수 있다는 입장이다. [가]는 인간이 기술 없이는 살아갈 수 없으며, 기술이 인간의 통제를 벗어나 인간의 자유를 억압할 수 있다고 보았다. [나]는 중립적인 입장에서 기술의 유익성 여부는 인간에게 달려있다며 인간의 책임성을 강조한다. [라]를 통해 인간과 기술이 상호 의존하며 공존할 수 있다는 점을 강조할 수 있으며, [마]를 통해 인간은 자연의 순리에 따라 살아야 한다고 강조하여 기술을 이용한 자연의 지배, 기술에 의한 인간의 억압을 비판할 수 있다.

[문제 3] 제시문 [가]의 '책의 수용 방식'으로 제시문 [나], [다], [라]를 각각 설명하시오. 그리고 제시문 [마]의 화자와 제시문 [바]의 생물학자 최재천이 책을 대하는 태도에 나타나는 공통점과 차이점을 기술하시오.

[나]의 중세에서 책은 매우 비싸서 교회와 귀족만이 소유했다. 책은 독서의 대상이 아닌 신분과 재력의 상징이었다. [다]의 일제 강점기(근대)의 경찰서에서는 잡지를 뒤지로 사용하고 있다. 책 가격이 내려가 널리 유통되고 있음을 짐작할 수 있다. 죄수들이 감방으로 잡지 낱장을 들여와, 서로 돌려 읽고 있다. 글을 읽고 싶은 욕망을 본능이라 할 정도로 독서가 보편화되었다. [라]의 현대에 이르러 전자책이 나왔다. 가볍고, 별도의 조명 없이 볼 수 있으며, 펜 없이 메모도 가능한 데서 종이 책과 달랐다. 단말기를 손에 쥐고 몰입하는 모습에서 여전히 종이 책 읽기 방식이 유지되고 있음을 알 수 있다.

[마]의 화자와 [바]의 생물학자는 자신이 소장한 책을 적극적으로 공유하고자 한다. 화자는 책을 빌려 주기도 하고, 직접 엮어 인쇄하여 나눠주기도 한다. 생물학자는 수집하여 소장하고 있는 자신의 책을 같은 분야를 공부하는 후학들에게 제공하겠다는 의지를 보였다. 다만 화자는 책뿐만 아니라 그 책에 대한 평가와 견해까지 공유하고자 했다. 책에 글을 적은 것은 물론 소장인을 찍는 것에도 긍정적이었다. 반면 생물학자는 자신의 소유임을 알리거나 공부한 흔적을 남기지 않고 책을 원래 상태 그대로 온전히 보존하였다. 화자는 책을 사람들에게 직접 유통시키는 방식으로, 생물학자는 서재를 도서관으로 만들어 사람들을 모이게 함으로써 책을 공유하였다.

# 9. 2022학년도 동국대 모의 논술 (인문계열)

[문제 1] 【가】와 【나】의 내용을 요약하고 인간의 지각 현상과 언어 사이의 상관 관계를 대비적으로 설명하고, 【다】와 【라】를 바탕으로 '문화와 언어'의 관계를 설명하시오.

【가】는 '단어'가 있으면 사물이나 현상이 구체적으로 드러난다는 뜻이다. 【나】는 '무지개'라는 단어가 없어도 "무지개"라는 개념을 지각하고 사고할 수 있다는 뜻이다. 【가】는 언어와 사고의 관계가 밀접하다고 생각하였고 【나】는 해당 개념을 가리키는 단어가 없어도 그 개념을 구분할 수 있다고 보았다. 【다】와 【라】는 우리나라는 벼농사를 오래 전부터 지어 오고 주식으로 밥을 먹는 농경 문화를 가지고 있기 때문에 이와 관련된 단어들이 많고, 어원족 사람들은 순록 목축은 계절과 관련된 단어들이 발달해 있는데, 이와 같이 언어는 그 언어가 처한 환경이나 문화에 따라서 어휘화 시키는 사물이나 현상이 다르다.

[문제 2] 【가】의 관점에서 【나】, 【다】에 나타난 문제점과 해결 방안을 제시하고, 이 같은 방안에 대해 【라】의 내용에 기초하여 예상되는 문제점과 해결 대안을 제시하시오.

머튼의 범죄발생이론은 범죄 발생 원인을 문화적 목표 달성의 실패로 보면서 범죄 발생의 책임이 개인이 아닌 사회에 있다고 주장한다. 실업으로 인한 소득 감소 때문에 사회 관계망의 단절 및 빈곤층의 증가로 이어지고, 사회 계층 간의 갈등이 심화되고, 계층의 대물림이라는 현상이 발생할 수 있음을 보여주고 있다. 사회 계층 간의 불평등으로 인하여 범죄가 증가할 수 있기 때문에, 빈곤층 증가의 방지를 위해서 적극적인 사회복지를 실행하는 것이 필요하다. 하지만 소득 감소로 인한 빈곤층의 증가를 방지하기 위해서 사회 복지의 증가는 다양한 문제를 불러온다. 예를 들어, 실업 급여의 부정 수급과 같은 도덕적 해이와 복지 정책에 의존하여 일하지 않는 복지병 등이 발생할 수 있다. 이를 예방하기 위해서 사람들이 생산 활동에 참여하여 근로 소득을 얻도록 유도하는 생산적 복지의 활용이 필요하다.

[문제 3] 【가】, 【나】, 【다】와 같은 상황에서 발생할 수 있는 문제점을 제시하고, 【라】의 창의력 개발이라는 관점에서 사람들 간의 차이와 다양성을 대하는 바람직한 태도는 무엇인지 제시하시오.

> 【가】에서 은기는 자신의 상태에 대한 경민의 공감을 원하지만 경민은 은기가 처한 상태에 대한 공감보다는 문제해결 방식으로 말을 하여 오해와 갈등이 생겼다. 【나】의 상황에서는 서로 다른 문화적 배경과 관습을 가진 다문화 학생들 간에 이해가 부족하고 어울리지 않을 경우 갈등이 생길 수 있다. 【다】에서는 동양인과 서양인 간에 세상을 바라보는 인식과 태도의 차이가 회화의 표현 방식에서 차이를 낳는 것처럼 문화권 간의 생각의 차이를 모르면 상대 문화의 특성을 이해하지 못할 수 있다.
>  【라】에서는 창의력이 좋아지려면 서로 관계없는 것들 간의 연결이 중요하다고 한다. 풍부한 경험과 지식, 다양한 분야 사람들과의 만남, 성향과 감성이 다른 사람들과의 소통, 다양성에 대한 인식과 관심, 낯선 것에 대한 호기심과 개방성, 고정관념의 틀에서 벗어나기 등은 연결거리를 많이 갖게 할 수 있다. 즉 사람들 간의 차이와 다양성은 창의력 개발을 위한 원천이 될 수 있는 것이다. 이를 위해서는 대화시 상대 말의 이면에 담긴 의미와 의도를 파악하고 공감할 줄 있어야 한다. 문화적 차이를 고정관념과 편견 없이 이해하고 다른 문화권 사람들과도 어울릴 수 있어야 한다. 나아가 서로 다른 문화권의 세상을 보는 인식과 태도 및 표현 방식의 차이를 파악하고 차이를 존중하며 개방성을 갖고 배움으로써 창의력 개발의 계기로 삼는 자세가 필요하다.

# 10. 2021학년도 동국대 수시 논술 (인문계열 Ⅰ)

[문제1] 【가】에 제시된 한글 맞춤법 제1장 제1항에서 한글 맞춤법의 대상을 밝히고 나서 서로 상충되는 두 가지 원리를 설명하고, 제2항의 아래에 제시된 예시를 참조하여 제1항과 제2항을 규정한 궁극적인 목적이 무엇인지 밝히시오. 그리고 【가】가 추구하는 목적을 참조하여 【나】와 【다】에 있는 문제점을 파악하여 제시하고, 그런데도 불구하고 【라】와 같은 문학작품이 쓰인 이유를 밝히시오.

> 【가】에서 한글 맞춤법의 대상은 표준어이다. 소리대로 적는 것과 어법에 맞도록 하는 것은 서로 상충하는데, '업따'와 같이 한글을 소리나는 대로 적는 것과 '업다', '엎다', '없다'와 같이 어법에 맞도록 적는 것은 서로 상충한다. 그런데 제1항과 제2항의 공통적인 목적은 의사소통이다. 【나】와 【다】에서는 동일 지역 안에서 원활한 의사소통을 위해서는 지역 방언과 계층 방언을 쓰면 의사소통이 안 된다는 문제가 있다. 그러나 【라】에서와 같이 문학작품에 사용된 방언은 동일한 방언을 구사하는 사람들 간의 정서적 유대감과 지역의 분위기 즉, 향토적, 문화적 특색을 드러내므로 문학작품에는 방언을 쓸 수 있다.
>
> (공백 포함 341자)

[문제 2] 【가】에서 제시한 사회 문제를 【나】와 【다】의 입장을 통합하여 설명하고, 그 설명의 문제점을 【라】와 【마】의 입장에서 비판하시오.

> 제시문에서는 사람들은 힘든 일을 겪을 때 극단적인 선택으로 자살을 하는 경우가 있고,

사람에 따라서 이를 정당화 하는 경우가 있음을 밝히고 있다. 진화론은 세상에 적응하지 못하여 도태되는 것은 자연스러운 현상이고, 현실에 대한 부적응은 개인의 삶에 영향을 미칠 수 있다. 자살을 바라보는 진화론은 적응하지 못하는 구성원의 배제를 통해 재화를 효율적으로 사용할 수 있다는 점에서 공리주의의 원칙에 부합될 수 있다. 하지만 이러한 해석은 불교와 기독교를 포함한 종교에서 생명의 존엄성을 강조하면서 살생을 금지하고 있는 기본 원칙에 반한다. 또한 인간을 수단이 아닌 목적 자체로 봐야 한다는 인간성의 이념을 무시하고 단지 효율성만을 추구하는 문제점이 있다. 사회 문제에 대해 효율성만을 추구하는 것은 개인이 겪는 고통과 윤리의 가치를 무시하는 사고 방식이다. 따라서 자살은 엄격히 금해야 한다.

(공백 포함 431자)

[문제 3] 제시문 【가】, 【나】, 【다】에 나타난 4차 산업 혁명의 장점과 단점을 요약하고, 【바】의 기업과 정부의 역할에 대한 내용을 적용하여 【라】의 로봇세와 【마】의 기본 소득 제도와 같은 조세와 보조금을 통한 정부의 개입 정책에 대해 찬성 또는 반대 의견을 제시하시오.

<찬성 의견>

4차 산업 혁명의 장점은 새로운 산업을 일으켜 보다 편리한 맞춤형 제품과 서비스의 제공, 빠르고 정확한 제품 개발, 생산과 서비스의 효율화와 원가 절감, 산업재해 최소화 등이다. 단점으로는 기존 산업의 경쟁력 상실과 연쇄 도산, 대량 실업, 정보 격차, 전자 감시와 개인 정보 유출, 인터넷 중독, 인간의 정체성과 도덕적 가치 혼란, 생태계 변화와 환경 문제의 세계화로 인한 위험 등이다.

기업은 사회로부터 필요한 자원을 사용하므로 사회 공헌과 같은 사회적 책임을 수행해야 한다. 로봇세와 같은 세금을 활용하여 노동자 재교육과 기초 연구개발 등을 수행하면 기업으로서도 이득이 된다. 기본 소득과 같은 보조금을 통해 빈곤 문제를 완화하고 국민들의 소비력이 뒷받침되면 소비와 생산의 선순환도 가능하다. 정부는 자원의 효율적 배분과 소득 재분배 및 경제 안정화를 수행해야 한다. 로봇세와 기본 소득 제도는 4차 산업 혁명이 유발하는 문제 해결에 필요하며 정당성을 갖고 있다. 로봇세와 같은 세금은 자동화로 인해 유발되는 전통 산업의 경쟁력 상실과 대량 실업 및 빈곤 문제 해결에 필요한 재원 마련에 필요하다. 또한 개인 정보 보호와 인터넷 중독 문제의 해결, 환경 보호, 나아가 사회와 산업의 변화에 따라 요구되는 노동자의 재교육과 지속적인 기술 혁신에 필요한 기초 과학 연구 등 산업 발전을 위해서도 필요하다. 정부는 기본 소득 제도를 통해 국민의 기본 생활 유지를 지원하고 빈부 격차를 완화하며 사회와 경제의 안정을 도모할 수 있으며 기업의 발전과 혁신도 촉진할 수 있으므로 도입에 찬성한다.

(공백 포함 697자)

<반대 의견>

4차 산업 혁명의 장점은 새로운 산업을 일으켜 보다 편리한 맞춤형 제품과 서비스의 제공, 빠르고 정확한 제품 개발, 생산과 서비스의 효율화와 원가 절감, 산업재해 최소화 등이다. 단점으로는 기존 산업의 경쟁력 상실과 연쇄 도산, 대량 실업, 정보 격차, 전자 감

시와 개인 정보 유출, 인터넷 중독, 인간의 정체성과 도덕적 가치 혼란, 생태계 변화와 환경 문제의 세계화로 인한 위험 등이다.

기업은 국민 경제에 필요한 재화와 서비스를 공급하여 사회를 풍요롭게 하고, 기업가는 새로운 기술과 시장을 개척하고 혁신을 통해 경제에 활력을 제공한다. 정부는 시장에 불완전성이 발생할 때 최소한만 개입해야 하며 과도한 개입은 기업 활동과 경제 활력을 저하하고 문제를 악화시킬 수 있다. 로봇세와 같은 세금은 기업가의 혁신 동기를 감소시키고 자동화 기술 투자를 지체시켜 기업 경쟁력을 약화시키고 산업 발전을 저해할 것이다. 그에 따라 일자리는 더 많이 줄어들고 빈곤 문제는 더 심각해질 수 있으며 과세 형평성 문제까지 야기할 수 있다. 기본 소득 제도는 근로 의욕과 능력 개발에 대한 동기를 약화시켜 개인과 기업의 경쟁력을 저하시킨다. 이와 같이 로봇세와 기본 소득 제도와 같은 세금과 보조금은 시장에서의 자유 경쟁을 저해하고 시장의 조정 기능을 약화시켜 결국 비효율을 초래하고 경제 활력을 저해하므로 도입에 반대한다.

(공백 포함 675자)

# 11. 2021학년도 동국대 수시 논술 (인문계열 Ⅱ)

[문제 1] [다]의 관점에서 [나]에서 언급한 의화단 운동을 비판하고, [가]의 문제를 해결하기 위해 정부와 시민이 해야 할 일을 [다]와 [라]를 바탕으로 서술하시오.

(다)에 따르면, 국제 분쟁은 협상과 같은 평화적 수단으로 해결하는 것이 바람직하다. 그러나 (나)에서 의화단 운동은 폭력적인 방법을 사용했으며, 상대방을 인정하지 않고 몰아내려고 했다. (가)는 약탈된 문화재 환수와 관련된 국제 분쟁을 다루고 있다. (다)에 따르면, 정부는 이에 대해 세 가지 행동을 취할 수 있다. 첫째, 약탈된 문화재를 보유한 국가와 문화재 반환의 조건을 조정하고 협상한다. 둘째, 관련 문제를 다루는 국제기구에 중재를 요청한다. 셋째, 문화재 반환 문제를 국제 사법 기관에 제소한다. (라)가 제시하듯이, 시민들은 문화재 보존과 같은 공공의 문제 해결에 참여해야 한다. 예를 들어, 상대국 국민을 대상으로 약탈된 문화재에 대한 문제의식을 갖도록 하는 운동을 전개할 수 있다.

[문제 2] [다]와 [라]의 경제 상황을 개선하기 위해 [가]와 [나] 중 각기 적합한 정책 수단을 선택하여 설명하시오(조건: [가]의 경우 정부지출과 조세정책으로 [나]의 경우 공개 시장 운영, 지급 준비(금) 제도, 여·수신 제도로 나누어 투자, 고용, 물가, 국민 소득에 미치는 영향에 대해 기술하시오). 그리고 [마]를 참고하여 재정정책과 통화정책의 부정적 측면에 대해 서술하시오.

정부는 재정정책과 통화정책을 통해 경제 상황을 개선할 수 있다. [다]에서 일본은행은 [나]의 통화 정책을 통해 양적 완화를 추진하고 있다. 첫째, 공개 시장 운영은 국·공채의 매입을 통해, 둘째 지급 준비 제도는 지급 준비율의 인하를 통해, 셋째 여·수신 제도는 은행에 대한 대출의 확대를 통해 시장에 유통되는 화폐의 양을 늘리면, '이자율 하락→투자 증가→고용증가→물가상승→국민소득 증가'의 경제 성장을 유도할 수 있다. [라]의 청년 실업률을 낮추기 위해서는 [가]의 재정 정책을 통해 개선할 수 있다. 청년 실업자와 청년 고용 회사에 대한 정부 지출 증가 및 세율 인하를 통해, '투자증가→고용증가→물가상승→국민소득 증가'의 경제 성장 및 청년 실업률 하락을 유도할 수 있다. 정부도 확대 재정정책과 팽창 통화 정책을 통해 신용이 하락하여 파산에 이를 수 있음을 나타낸다. 이를 정부의 실패라 하고, 양적 완화 정책은 국가 부도 사태를 야기할 수 있다.

[문제 3] [나]의 현상적 자아와 본질적 자아의 개념을 활용하여 [라]의 '개인의 도덕성과 도덕적 정체성 형성을 위해 반드시 필요한' 윤리적 성찰 행위를 [가]와 [다]에 적용하여 설명하시오(조건: [가]와 [다]에서 밑줄 친 단어를 통해 특성이 대비되도록 하시오).

<540~600자> [40점]

[가]의 '현상적 자아'는 삶을 살아가는 동안 외부환경이나 유혹에 흔들린다. 정약용은 자신의 이런 상황을 큰형님의 삶의 원칙에 비추어보고 비로소 이 세상에서 중심을 잃지 않고 살아가는 '본질적 자아'의 중요성을 성찰한다. 큰형님의 서재 이름인 '수오재'는 '나를 지키는 집'이라는 의미로서, 맹자가 갈파한 '자신을 지키는 것이 가장 큰 일'이라는 반성적 성찰을 동반한다. 큰형님의 어릴 적 이름인 '태현(太玄)'은 '눈에 보이지 않는 우주의 본질'이라는 뜻으로서 '자신의 신념을 지키며(守吾) 살아가는 태도'로 추론할 수 있다. 이를 통해'참된 자아의 발견'이라는 윤리적 성찰의 가치를 부각시킨다.
　[다]에서 자아의 모습도 두 가지다. 육첩방으로 상징되는 일본에서 유학생활의 일상을 토로하는 자아는 '현상적 자아'이다. 하지만 그의 내면에는 현상적 자아에게 손을 내밀어 눈물과 위안으로 악수를 청하는 '최후의 나'도 있다. 이 자아가 바로 '본질적 자아'이다. 윤동주의 두 자아의 양립현상은 현실과 이상, 체념과 의지 사이에서 고뇌하는 자기 양심을 반영한다는 점에서, '부끄러움의 발견'이라는 윤리적 성찰의 가치를 부각시킨다.

# 12. 2021학년도 동국대 모의 논술 (인문계열)

[문제 1] 한국의 다문화 사회는 긍정적인 측면과 부정적인 측면, 즉 양면성을 지니고 있다. 【다】가 다문화 사회의 부정적인 측면을 보여준다고 할 때, 이와 상반되는 긍정적인 측면을 【가】,【라】를 참고하여 최소 3가지 쓰고, 사회 구성원들이 갖추어야 할 다문화 수용 태도에 대해 제시글 전체를 참고하여 서술하시오.

<유의 사항>
- 다문화 수용 태도와 관련한 서술에서는 제시글의 핵심어를 포함시켜 서술하기 바랍니다.

모범답안 [1] 제시글만을 활용하여 다문화 사회에 대한 긍정적인 측면을 쓴 경우
　다문화 사회는 제시글 [다]처럼 부정적인 측면도 있으나, 긍정적인 측면도 존재한다. 이를 3가지로 정리하면,부족한 노동력 문제를 해소할 수있고,쇠락한 지역 사회에 새로운 활기를 불어넣어 지역 상권에도 도움이 된다. 또한 다양하고 풍요로운 문화를 체험하고 형성하는데 기여하는 측면이 있다. 따라서 다문화를 수용하는 태도에 있어 적극적이고 긍정적인 태도가 필요하다. 외국인에 대한 선입견과 편견, 차별적 태도를 지양하고, 제시글 [가]의 '붉은 꽃, 흰 꽃'이 상징하는 바와 같이 다문화 사회의 일원으로서 그들을 적극적으로 받아들여야 한다. 또한 [나]처럼 차이와 다양성을 인정하고 그들을 있는 그대로 받아들이는 포용적이고 적극적인 태도도 필요하다. 동시에 사회의 동반자로서 서로 소통하며 문화

공동체를 형성해가는 것이 무엇보다도 중요하다.

(공백 포함 419자)

모범답안 [2] [라]를 바탕으로 응시생이 알고 있는 지식을 더 활용하여 다문화 사회에 대한 긍정적인 측면을 쓴 경우

　한국의 다문화 사회는 [다]처럼 문제점이 있지만, 긍정적 측면이 더 많다. 이를 3가지로 정리하면 첫째 한국 사회는 저조한 출산율과 고령화로 노동력이 부족한데 외국인 근로자들은 노동력 부족 문제를 해소시킨다. 둘째 국제결혼 이민자들은 농어촌 지역에 새로운 활력을 불어넣는다. 셋째 새로운 문화의 유입으로 다양한 문화를 경험할 수 있고 더욱 풍요로운 문화를 형성할 수 있다. 따라서 다문화 수용에 있어 선입견과 편견 그리고 차별적 태도, 부정적이고 소극적인 태도를 지양해야 한다. [가]에서 '붉은 꽃, 흰 꽃'이 상징하듯 다문화 가정도 우리 사회 공동체의 한일원으로,삶을 성실히 살아가고 있기 때문에 구성원이자 동반자이다. 또한 [나]처럼 차이를 인정하고 다양성을 존중하며, 있는 그대로 받아들이는 포용적이고 적극적인 태도가 필요하다.

(공백 포함 414자)

[문제 2] [가]와 [나]는 우리 사회의 부정의를 보여주며, [다]~[마]는 서로 다른 두 개의 정의론을 설명하고 있다. [다] 입장을 통해 [가]와 [나]의 내용을 평가하고 [라]의 정의론을 비판하거나, [라]의 입장을 통해 [가]와 [나]의 내용을 평가하고 [다]의 정의론을 비판해 보시오.

<유의 사항>
- 문제의 두 입장 중, 수험생이 지지하는 입장을 하나 선택하여 논리적으로 서술하시오.

모범답안 [1] [다]의 입장에서 [라]를 비판하는 논변
　자유주의적 정의관은 선택의 자유와 공정한 기회를 중시하며, 개인의 선택이나 노력과 무관한 요인에 따른 불평등을 바로잡고자 노력한다. 롤스가 '최소 수혜자를 포함 모든 이에게 이득을 주는 경우에만 사회적·경제적 불평등이 인정된다'고 주장하는 데에는 타고난 재능을 공동자산으로 여기고, 여기서 비롯된 성과를 최소 수혜자에게 가장 많이 제공해야 한다는 '차등 원칙'을 통해 공정한 기회를 확보하려는 노력이 전제되어 있다. 롤스의 견해에 비춰, 재산의 취득 및 양도 과정에 부정의가 없는 한, 그 어떤 정부 개입도 정의롭지 않다는 노직의 견해는 비판받아 마땅하다. 부 혹은 가난의 대물림이 교육 기회의 격차로 이어져 기회 균등 원칙을 훼손하는 상황이 나타날 수 있기 때문이다. 때론 빈부격차가 지나치게 확대되는 상황을 막기 위한 정부 개입이 필요한 셈이다.

(공백 포함 419자)

모범답안 [2] [라]의 입장에서 [다]를 비판하는 논변
　자유주의적 정의관이 개인의 선택이나 노력과 무관한 요인에 따른 불평등 문제를 완화하거나 해결하기 위한 정부 개입을 정당화하는데 반해, 자유 지상주의적 정의관은 정부 개입의 필요성에 동의하지 않는다. 후자는 개인의 자유와 함께 재산에 대한 배타적인 소유권을

강조하며, 그래서 재산의 취득과 양도 과정에서 부정의가 없는 한 그 어떠한 이유로도 재산이나 소득을 재분배하는 정부 개입에 대해 부정적이다. 정부가 개입할 경우 개인의 자유나 배타적인 재산권과 충돌하는 상황이 초래될 수밖에 없다고 보기 때문이다. 이에 따라 자유 지상주의적 정의관은 타고난 재능을 공동 자산으로 여기고 여기서 비롯된 성과를 우선적으로 최소 수혜자에게 제공하려는 롤스의 차등원칙에 대해서도 개인의 자유나 소유권을 침해할 수 있다는 이유에서 동의하지 않는다.

(공백 포함 406자)

[문제 3] [다]는 [가]와 [나]에서 제시된 원리를 추구한 결과로 이해할 수 있고, [라]는 [다]가 초래한 문제를 해결하기 위한 노력으로 이해될 수 있다. 다음의 순서로 구성된 논술을 작성하시오.
(1) [다]의 현실에 [가]와 [나]가 어떻게 기여하였는가?
(2) [가]와 [나]의 논리가 [라]를 정당화할 수 있는지 없는지 밝히고, 그 이유를 서술하시오.

모범답안 1] 결론 : [가]와 [나]에서 제시된 논리는 [라]에서 제시된 공정무역운동을 정당화할 수 없다.
　다국적 기업은 활동 영역을 여러 국가로 확대하면서 이윤을 극대화하고 비용을 최소화함으로써 자신의 이익을 추구한다. 경제 세계화는 다국적 기업들의 이윤뿐만 아니라, 전 세계 소비자들의 편익을 증가시켰다. 소비자들이 세계 곳곳에서 생산된 다양한 상품들을 더 저렴한 가격에 구매할 수 있게 된 것이다. 그러나 경제 세계화는 기업과 소비자의 편익 증대뿐만 아니라, 다국적 기업의 하청업체들에서 이뤄지는 아동노동 착취와 환경파괴를 야기하기도 하였다. 소비자에게 만족감을 주는 상품이 그 상품 생산자의 노동을 착취하고 삶의 터전을 파괴한 것의 결과물이라는 사실을 알게 된다면, 그 만족감, 곧 비금전적 편익은 줄어들 수밖에 없다. 공정무역은 경제 세계화의 이와 같은 어두운 측면을 개선하고자 하는 적극적 노력으로 이해할 수 있다. 애덤 스미스는 자기 이익의 추구를 교환행위의 원리로서 긍정하였다. 이로부터 도출된 '보이지 않는 손'의 논리는 자유방임주의를 유행시켰고, 그 결과 여러 시장 실패가 발생하였다. 편익과 비용을 계산하는 개인들의 합리적 행위가 전체 세계 수준에서는 전례없는 양극화와 환경위기라는 비합리적 결과로 발전하였다. 이러한 '구성의 오류'는 개인의 합리적 소비만으로는 통제할 수 없다. 따라서 지구촌 전체의 구성원과 환경을 고려하는, 곧 이기심이 아니라 박애를 강조하는 윤리적 소비가 등장하였고, 공정무역은 그 예이다. 따라서 [가]와 [나]에서 제시된 논리는 [라]에서 제시된 공정무역운동을 정당화할 수 없다.

(공백 포함 737자)

모범답안 2] 결론 : [가]와 [나]에서 제시된 논리는 [라]에서 제시된 공정무역운동을 정당화할 수 있다.
　다국적 기업은 활동 영역을 여러 국가로 확대하면서 이윤을 극대화하고 비용을 최소화함으로써 자신의 이익을 추구한다. 경제 세계화는 다국적 기업들의 이윤뿐만 아니라, 전 세계 소비자들의 편익을 증가시켰다. 소비자들이 세계 곳곳에서 생산된 다양한 상품들을 더 저렴한 가격에 구매할 수 있게 된 것이다. 그러나 경제 세계화는 기업과 소비자의 편익 증대뿐만 아니라, 다국적 기업의 하청업체들에서 이뤄지는 아동노동 착취와 환경파괴를 야기하기도 하였다. 소비자에게 만족감을 주는 상품이 그 상품 생산자의 노동을 착취하고 삶의 터전을 파괴한 것의 결과물이라는 사실을 알게 된다면, 그 만족감, 곧 비금전적 편익은 줄어들 수밖에 없다. 공정무역은 경제 세계화의 이와 같은 어두운 측면을 개선하고자 하는 적극적 노력으로 이해할 수 있다. 애덤 스미스는 시상을 자신의 이익과 타인의 이익이 공존하는 호혜의 장소로서 제시하고 있다. 오늘날 시장의 호혜성은 다국적 기업이 판매자인 경우뿐만 아니라 구매자인 경우로까지 확장되어야 마땅하다. 기업이 구매독점의 지위를 남용하여 노동을 포함한 구매 상품에 정당한 비용을 지불하지 않는 것은 스미스가 옹호한 자유무역의 정신에 부합하지 않는다. [나]의 지문에서 제시하듯, 편익은 금전적인 이윤뿐만 아니라 비금전적인 정신적 만족감을 포함하고, 비용을 계산할 때에는 상품을 선택할 때 포기한 대안의 가치인 암묵적 비용 – 아동노동, 환경파괴 – 까지 계산해야 한다. 따라서 [가]와 [나]에서 제시된 논리는 [라]에서 제시된 공정무역운동을 정당화할 수 있다.

(공백 포함 767자)

# 13. 2020학년도 동국대 기출 논술 (인문계열 Ⅰ)

[문제 1] 【가】와 【나】의 차이점을 설명하고, 【가】와 【라】, 【나】와 【라】의 유사점을 각각 서술한 후, 【가】를 바탕으로 【다】의 작가의 관점을 설명하시오.

플라톤은 현실과 이데아로 세계를 구분하였으나, 아리스토텔레스는 두 세계의 분리를 비판하였다. 또한, 플라톤이 주장하는 현실과 이데아는 불교에서 주장하는 무명의 그늘과 자신의 참모습과 각각 유사하고, 아리스토텔레스가 주장하는 현실세계에서 선(善)의 실현은 불교에서 주장하는 (중생을 구제하고자 하는) 보살이라는 이상적 인간상의 행위와 유사하다.

한편, 플라톤은 동굴의 비유를 통해 그림자는 이데아를 반영하지만 이데아 그 자체는 아니라고 주장한다. 제시문 [다]에서 작가는 틀에 박힌 고정 관념을 벗어나, 보는 각도를 달리함으로써 사람이나 사물이 지닌 새로운 면과 아름다운 비밀을 찾아낼 수 있다고 주장함으로써, 플라톤의 주장과 비슷하게 그림자가 아닌 참된 실재인 이데아를 찾을 것을 권유한다.

(공백포함 385자)

[문제 2] 제시문에 등장하는 두 대립하는 자연관을 다음 유의 사항에 따라 서술하시오.
<유의사항>

1. 【가】의 입장을 기반으로 【나】를, 또는 【나】의 입장을 기반으로 【가】를 조합해야 함.
2. 위 과정에서 자신의 입장 선택, 상대 입장의 부분적 수용, 그리고 그에 따른 자신의 입장의 부분적 변형을 반드시 반영하여 서술해야 함.

* 답안 유형 1: 생태 중심주의를 기반으로 인간 중심주의를 조합하는 경우
  나는 생태 중심주의를 기반으로 인간 중심주의를 조합하고자 한다. 전자는 인간과 자연의

본성이 근본적으로 동등하고 평등하다고 본다. 반면에 후자는 그 둘 사이의 동등성을 부정하면서 자연을 인간의 목적에 따라 재단할 수 있는 도구라고 간주한다. 인간 중심주의로부터 나는 자연 안의 여러 존재 가운데 인간만이 도덕적 가치를 실현할 수 있는 특성을 갖는다는 점을 수용한다. 인간은 자연의 일부임이 틀림없지만 그럼에도 그 안에서 윤리적 가치를 자율적으로 실현할 수 있는 것이다. 오직 이 측면에서만 인간과 자연은 다를 수 있다. 요컨대 인간과 자연 사이에 절대적인 우열 관계는 없지만 어떤 특정한 맥락에 관련된 상대적인 우열 관계는 성립할 수 있다. 이와 같은 방식으로 생태 중심주의에 기반한 인간 중심주의가 가능하다.

(공백 포함 399자)

* 답안 유형 2: 인간 중심주의를 기반으로 생태 중심주의를 조합하는 경우
  나는 인간 중심주의를 기반으로 생태 중심주의를 조합하고자 한다. 전자는, 인간이 자연에 대하여 근본적인 우위를 갖는다고 본다. 반면에 후자는 인간과 자연이 동등하고 평등하다고 간주한다. 나는 생태 중심주의를 제한된 범위에서 수용한다. 이에 자연에 대한 인간의 근본적 우위는 어떤 특정한 영역-이를테면 윤리적인 영역-에만 한정된다. 따라서 인간이 자연에 대하여 분명한 우위를 갖지만 모든 영역에서 다 그런 것이 아니라 특정한 영역에서만 그러하다. 하지만 도덕과 윤리는 인간 삶에서 여전히 매우 중요한 역할을 하기에 인간의 특별한 지위는 유지된다. 이를 '과도한 인간 중심주의'에 대비하여 '온건한 인간 중심주의'라고 불러도 좋다. 이 같은 방식으로 인간 중심주의에 기반한 생태 중심주의가 가능하다.

(공백포함 390자)

[문제 3] 【가】의 '노예 소유주'의 행위를 【나】의 내용을 근거로 비판하고, 【다】의 '공감'의 '실천 윤리적 가치'와 관련시켜 【라】의 ㉠, ㉡, ㉢의 비유적 의미를 파악한 뒤 이 시의 내용을 설명하시오.

  윤리학은 실천 철학으로서 인간의 도덕적 행위에 대해 윤리문제를 명료하게 파악하여 규범적 근거를 제시하는 학문이다. 따라서 윤리학은 규범적 근거 제시를 통한 행위의 방향을 보여줌과 동시에 실제의 도덕적 행위를 산출해야 한다. (가)에서 '노예 소유주'는 노예와의 '인권'과 '자유'에 관한 토론에서 자유에 대한 참된 이해를 얻었음에도 노예를 해방시키지 않았다는 점에서 윤리학의 본질적 요소인 실천적 성향을 인식하지 못하고 있는 것이다. (다)의 '공감'의 원리가 중요한 것도 이렇듯 도덕적 판단을 할 때, 다른 원리의 도움이 없이도 실천 윤리의 가치를 끌어낼 수 있기 때문이다. (라)의 시에서 '㉠슬픔을 주겠다', '㉡기다림을 주겠다', '㉢함께 걷겠다'는 '기쁨'이 행복한 자, 가진 자의 독선과 공감의 부족에서 생기는 감정일 수 있음을 비판하는 구절이다. '기쁨'에게 슬픔을 알려 주고, 빠른 만족과 행복이 아니라 '기다림'을 알게 하고, 그래서 '기쁨'이 슬픔이라는 존재를 알아서 함께 평등하게 공존하는 법을 알려 주겠다는 것이 이 시의 요지이다. '무관심'이 비도덕적인 것은 타인의 슬픔과 고통을 외면하는 행위이기 때문이다. 이 시는 기쁨이 타인의 고통에 대한 무관심에서 오는 감정이 되지 않도록 '슬픔'을 공감하는 감정이 되어야 한다는 것을 말

한다.

（글자 수 650자, 공백포함）

# 14. 2020학년도 동국대 기출 논술 (인문계열 Ⅱ)

【문제 1】 제시문 [나]와 [다]의 유럽 국가들이 취한 아시아 및 아프리카 정책의 배경이 되었던 사상을 [가]를 바탕으로 설명하고, 그 사상을 [라]의 입장에서 비판하시오.

(나)와 (다)에 따르면, 서양 국가들은 세력을 넓히고 경제적 이득을 얻기 위해 아프리카와 아시아를 식민지화했다. 그러나 서양인들은 그러한 정복 행위가 단순히 자신의 이익만을 위한 것이라고는 생각하지 않았다. (가)에서 알 수 있듯이, 백인들은 흑인과 황인보다 우월한 문화를 가지고 있다고 판단했다. 그리고 그러한 우월한 문화를 전 인류에 전파해야 할 '짐'을 가지고 있다고 생각했다. 즉 서양인들은 자신의 정복 행위를 일종의 '봉사' 행위로 인식했다. 그러나 (라)가 지적하듯이, 문화는 인간이 다양한 방식으로 자연환경과 상호작용한 결과이다. 각 지역마다 환경이 다른 만큼, 그와 상호작용하는 방식도 지역마다 다르다. 따라서 아프리카와 아시아의 문화가 서양의 문화보다 반드시 열등하다고 판단할 수는 없다.

【문제 2】 제시문 [가]에서 나타난 현상을 [나], [다], [라] 각각에 근거하여 비판하시오.

【나】에서 칸트는 인간의 존엄성을 지키기 위해서는 인간을 다른 목적을 위한 수단이 되어서는 안 된다고 하였다. 그러나 【가】에서 묘사된 사회에서는 유전자를 배합하여 광부나 철강공, 또는 지성이 제거된 일꾼으로 태어나게 하는 등 인간을 수단적 존재로 전락시키고 있었다. 【다】에서 하버마스는 자율성이 침해되기 때문에 본인의 동의 없는 유전자 조작을 통한 인간능력 향상을 반대하고 있는데 【가】에서와 같이 당사자의 동의 없이 천재형 등으로 인간을 배양하거나, 다섯 등급으로 나눠서 국가가 인간의 운명을 결정하는 것이 비판될 수 있다. 【라】에서 센델은 유전자 조작이 행위 주체성의 과도함으로 인해 삶이 선물이라는 관점을 파괴하기 때문에 타인과의 연대를 약화시킬 수 있음을 비판한다. 따라서 【가】에서 나타나듯이 유전자 조작을 통해 우월한 유전자를 이식받아 태어난 경우, 우연성이 사라져 재능차이에 따른 각 계층(계급)간의 연대와 배려가 없는 사회가 될 것이다.

【문제 3】 제시문 [가]에서 지적하는 다수결 방식의 결함을 보완하기 위해서 필요한 노력 또는 태도를 [나], [다], [라]에서 각각 찾아 제시하고, 이에 대해 설명하시오.

제시문 <가>는 다수결 제도가 자칫하면 다수의 횡포가 될 수도 있으며, 이를 막기 위해 대화와 타협이 필요하다고 강조한다. 그러나 현실 속에서 대화와 타협은 쉽지 않으며 상대방, 특히 소수자에 대한 이해와 공감을 토대로 해야만 진정한 대화와 타협은 가능해진다. 결국 다수결 제도를 보완하기 위해서는 이해와 공감이 필요한 셈이다. 제시문 <나>는 올바른 인식에 이르기 위해서는 선입견과 편견을 버려야 한다고 강조한다. 편견을 줄이려는 노력은 진정한 대화를 가능케 하며, 거꾸로 마음을 연 대화를 통해 편견이 줄어들기도 할 것이다. <다>에서 왕은 시녀의 말을 귀 기울여 듣는 공감적 듣기의 노력을 기울이고 있다. 이처럼 권력자(다수자)가 소수자의 목소리를 들으려는 노력을 기울인다면 대화의 진정성은 강화될 것이다. 수많은 사람들이 직접 만나 대화하는 것이 현실적으로 어렵다면, <라>에서는 직접적 대화가 없이도 공감에 이를 수 있음을 잘 보여준다. 버스 안에서 조는 모습을 주책스럽다고 여기지 않고, 시적 상상력을 통해 그 주부의 피곤한 가사노동의 일상을 떠올리고 공감하는 것이다.

이처럼 자신의 선입견만을 고수하는 태도를 버리고, 특히 권력자가 소수자에 대해 직접적 대화나 간접적 상상력을 통해 공감하려는 태도로 다양한 노력을 기울인다면, 상대를 점차 이해하게 되고 타협도 가능해질 것이니, 다수결의 횡포는 최소화할 수 있을 것이다.

# 15. 2020학년도 동국대 모의 논술 (인문계열)

[문제 1] [가]에는 "인간과 고등 동물이 보이는 정신 능력의 차이는 정도의 문제이지 종류의 문제가 아니다"라는 주장이 등장한다. [나]와 [다]에는 그 주장을 지지하거나 공박하는 논거가 나타나 있다. [나] 입장을 통해 위 주장을 옹호하면서 [다]를 비판하든가 또는 [다] 입장을 통해 위 주장을 반박하면서 [나]를 비판해 보시오.

<유의 사항>
- 전술한 두 노선 중 수험생이 지지하는 하나를 택하여 논변하시오.

예시 답안 1: [나]의 입장에서 [다]를 비판하는 논변
일부 과학자들이나 철학자들은 동물이 실제로 사고를 하거나 감정을 갖는지 확인할 방도가 없다고 주장한다. 그러나 그 입장은 인간 우월주의의 한 형태일 뿐이다. 동물은 인간과 마찬가지로 감정을 갖는다. 감정의 소유와 경험에 관련하여 인간과 몇몇 포유류 동물의 뇌구조와 신경구조가 동일하다는 점이 판명되었다. 제임스 블라호스는 "학대, 공격성, 분리 불안, 우울증 그리고 강박 장애 같은 정신적 고통을 완화하기 위해 사람에게 처방하는 약물이 동물에게도 똑같이 사용되고 있다"고 설파했다. 이 사실들은 인간과 고등 동물 사이의 정신 능력이 종류의 문제가 아니라 정도의 문제라는 점을 지지한다. 그러한 정신 능력의 차이는, 각기 다른 고유한 본성의 문제가 아니라 동일한 본성의 상이한 수준, 레벨, 또는 복잡성의 문제인 것이다. 그래서 인간의 도덕적 행위와 일부 동물에서 보이는 도덕적 행위 역시 정도의 문제이지 종류의 문제가 아니다. 인간은 도덕을 높은 수준으로 실현하는 반면에 동물은 낮은 수준으로 실행할 뿐이다. '인간만이 소유한 고유한 도덕성'이라는 이념은 과장된 것이다.

(공란 포함 415자)

- 예시 답안 2: [다]의 입장에서 [나]를 비판하는 논변
일단의 과학자들과 철학자들은 인간과 여타 고등 동물의 정신 능력의 차이가 정도의 문제이지 종류의 문제가 아니라고 주장한다. 그러나 그 입장은 결국 정신 현상을 물질 현상으로 환원하려는 시도이다. 인간이 가진 정신성과 동물이 가진 정신성이 다소 유사해 보이는 부분이 존재한다. 고통이나 기쁨과 같은 원초적인 느낌이나 감정 영역에서 특히 그러하다. 하지만 감정이 정신의 전부는 아니다. 인간의 정신은 과학적 지성, 윤리적 이성, 그리고 종교적 영성을 포함한다. 그것은 자연의 세계를 넘어서고 초월하고자 한다. 이 점에서 몇몇 고등 동물이 정신을 가졌다고 하여도, 그와 같은 정신이 과학적 탐구를 수행하거나 윤리적 행위 자체를 목적으로 삼거나 순수한 종교적 가치를 추구하지는 않는다. 인간과 고등

동물 사이의 정신 능력에는 본질적인 '종류 차이' 내지 '질적 차이'가 존재하는 것이다. 이를 의도적으로 무시하거나 간과하는 일은 또 다른 형태의 아집이나 오류이다. 인간이 가진 정신 능력은 고유한 것이다. 그것을 생물학적·기계적 능력으로 성급하게 설명하거나 환원하려해서는 안 된다.

(공란 포함 417자)

[문제 2] 【가】~【다】를 참조하여 지난 2년간 우리나라 정부의 소득재분배 정책으로 중산층에 유의한 변화가 있었다고 판단할 수 있는지 기술하고, 【나】의 누진소득세 제도의 효과로 나타날 수 있는 계층구조를 【라】에서 찾아 설명하시오.

지난 2년간 우리나라 중산층에 유의한 감소가 있었다고 단정할 수는 없다. 중산층을 분류기준은 일반적으로 소득인데, 사회조사는 개인이 스스로가 생각하는 계층의 소속감에 대한 답변이다. 따라서 사람들이 느끼는 현실의 어려움에 대한 참고자료이지, 중산층의 유의적 변화를 판단하는 자료로는 불충분하다. 누진 소득세의 효과로는 중산층에 비해 상류층과 하류층의 비율이 매우 낮고, 최상류층과 최하류층이 거의 없는 타원형 계층구조 형태가 나타날 것이다. 소득이 높을수록 많은 세금이 부과되어 하류층은 낮은 세금을 기반으로 중산층으로 이동하기 쉽고, 상류층은 세금 부담이 가중하여 중류층으로 이동하는 요인이 된다. 중류층은 하류층으로 떨어지지는 않지만, 소득이 증가하여도 높아지는 세금으로 상류층으로 이동하기는 더욱 어려워진다.

(공백포함 400자)

[문제 3] (가)와 (나)를 활용하여, (다)의 윤직원과 (라)의 화자 '나'가 보여주는 성격과 심리를 분석하고 두 인물이 지닌 세계관의 차이가 발생하는 이유를 설명하시오.

(가)에는 사회·문화적 맥락, 문학사적 맥락, 상호텍스트적 맥락이 있다. 이 중 사회·문화적 맥락은 문학작품에 반영된 사회·문화적 상황과 문학작품의 상관성을 통해 작품을 읽는 방법이다. (다)와 (라)는 모두 식민지 시대의 작품으로 당시의 시대 상황을 반영하고 있다. (다)의 윤 직원 영감은 일제의 무단통치 시기와 문화정책 시기를 살아온 인물로서 구한말의 혼란기 보다 일제의 통치가 자신의 개인적 성공과 부의 축재에 더 유리하다는 생각 때문에 '태평천하'인 '지금' 사회주의 운동을 한다는 종학이를 도저히 이해하지 못한다. 반면 만세전의 화자 '나'는 민족적인 차별을 통해 식민지 통치의 문제점을 서서히 자각해 가는 인물이다. 이 두 인물의 세계관이 서로 대비되는 이유는 윤 직원 영감이 '자신한테 불리한 세상'과 '유리한 세상'이라 는 개인적 입장에서 식민지 상황을 바라보는 반면 만세전의 화자 '나'는 공동체적인 시각에서 자신을 포함한 조선인에 대한 차별과 억압을 자각하고 있기 때문이다. 이처럼 (나)와 같은 일제의 통치 정책은 소설 속에서 윤 직원과 같은 친일적 민간 유지를 양성해 가는 한편, 동시에 '나'와 같이 민족적 차별을 통해 서서히 '민족의식'을 깨달아 가면서 식민 정책의 문제점을 깨닫는 인물의 심리를 통해서 그 허상이 폭로되기도 한다.

(총 658자 공백포함)